HANS JAKOB CHRISTOPH
VON GRIMMELSHAUSEN

Lebensbeschreibung der Erzbetrügerin und Landstörzerin Courasche

HERAUSGEGEBEN VON
KLAUS HABERKAMM UND
GÜNTHER WEYDT

PHILIPP RECLAM JUN. STUTTGART

Universal-Bibliothek Nr. 7998 [2]

Gesamtherstellung: Reclam, Ditzingen. Printed in Germany 1986
ISBN 3-15-007998-5

Trutz Simplex:

Oder

Ausführliche und wunderseltzame

Lebensbeschreibung

Der Ertzbetrügerin und Landstörtzerin

Courasche /

**Wie sie anfangs eine Rittmei-
sterin/ hernach eine Hauptmännin / ferner
eine Leutenantin/ bald eine Marcketente-
rin/ Mußquetirerin / und letzlich eine
Ziegeunerin abgegeben/ Meisterlich agiret/ und ausbündig
vorgestellet:**

**Eben so lustig/ annemlich un nutz-
lich zu betrachten/ als Simplicissimus selbst.**

Alles miteinander

**Von der Courasche eigner Per-
son dem weit und breitbekanten Simplicissimo zum Verdruß und Widerwillen/ dem
Autori in die Feder dictirt, der sich vor
dißmal nennet**

PHILARCHUS GROSSUS von Trom-
menheim/ auf Griffsberg/ etc.

Gedruckt in Utopia / bei Felix Stratiot.

Die Ertz Betrügerin

andstörtzerin Courage

Erklärung des Kupfers
oder Die den geneigten Leser anredende Courage.

Ob ich der Torheit Kram hier gleich herunterstreue,
so wirf ich's drum nicht weg, umb daß es mich gereue,
daß ich ihn hiebevor geliebet und gebraucht,
sondern dieweil er jetzt zu meinem Stand nichts taugt.
Haarpuder brauch ich nicht noch Schmink, noch Haar zu kräusen,
mein ganzer Anstrich ist nur Salbe zu den Läusen;
tracht sonsten nur nach Geld und mach mir das zunutz
und was ich möge tun dem Simplici zu Trutz.

Kurzer,
doch ausführlicher Inhalt
und
Auszug
der merkwürdigsten Sachen
eines jeden Kapitels
dieser lust- und lehrreichen
Lebensbeschreibung der Erz-
landstörzerin und Zigeu-
nerin
Courage

Das I. Kapitel

Gründlicher und notwendiger Vorbericht, weme zu Liebe und Gefallen und aus was dringenden Ursachen die alte Erzbetrügerin, Landstörzerin und Zigeunerin Courage ihren wundernswürdigen und recht seltzamen Lebenslauf erzählet und der ganzen Welt vor die Augen stellet.

Das II. Kap.

Jungfrau Lebuschka (hernachmals genannte Courage) kommt in den Krieg und nennet sich Janko, muß in demselben eine Zeitlang einen Kammerdiener abgeben; dabei vermeldet wird, wie sie sich verhalten und was sich Verwunderliches ferner mit ihr zugetragen.

Das III. Kap.

Janko vertauschet sein edles Jungferkränzlein bei einem resoluten Rittmeister um den Namen Courasche.

Das IV. Kap.

Courage wird darum eine Ehefrau und Rittmeisterin, weil sie gleich darauf wieder zu einer Witwe werden mußte, nachdem sie vorhero den Ehestand eine Weile ledigerweise getrieben hatte.

Das V. Kap.

Was die Rittmeisterin Courage in ihrem Witwenstand for ein ehrbares und züchtiges wie auch verruchtes, gottloses Leben geführet, wie sie einem Grafen zu Willen wird, einen Ambassador um seine Pistolen bringet und sich andern mehr, um reiche Beute zu erschnappen, willig unterwirft.

Das VI. Kap.

Courage kommt durch wunderliche Schickung in die zweite Ehe und freiete einen Hauptmann, mit dem sie trefflich glückselig und vergnügt lebte.

Das VII. Kap.

Courage schreitet zur dritten Ehe und wird aus einer Hauptmännin eine Leutenantin, trifft's aber nicht so wohl als vorhero, schlägt sich mit ihren Leutenant um die Hosen mit Prügeln und gewinnet solche durch ihre tapfere Resolution und Courage; darauf sich ihr Mann unsichtbar macht und sie sitzen läßt.

Das VIII. Kap.

Courage hält sich in einer Okkasion trefflich frisch, haut einem Soldaten den Kopf ab, bekommt einen Major gefangen und erfährt, daß ihr Leutenant als ein meineidiger Uberlaufer gefangen und gehenket worden.

Das IX. Kap.

Courage quittiert den Krieg, nachdem ihr kein Stern mehr leuchten will und sie fast von jedermann for einen Spott gehalten wird.

Das X. Kap.

Courage erfähret nach langem Verlangen, Wünschen und Begehren, wer ihre Eltern gewesen, und freiet darauf wiederumb einen Hauptmann.

Das XI. Kap.

Die neue Hauptmännin Courage ziehet wieder in den Krieg und bekam einen Rittmeister, Quartiermeister und gemeinen Reuter durch ihre heldenmäßige Tapferkeit in einen blutigen Gefecht gefangen. Verleurt darauf ihren Mann und wird eine unglückselige Witbe.

Das XII. Kap.

Der Courage wird ihre treffliche Courage auch wieder trefflich von dem ehedessen von ihr gefangnen Major eingetränkt, wird jedermanns Hur, darauf nackend ausgezogen und muß eine gar schändliche Arbeit verrichten. Wird aber endlich von einem Rittmeister, den sie auch vorhero gefangenbekommen, erbeten, daß ihr nicht etwas Ärgers widerfuhr, und darauf auf ein Schloß geführt.

Das XIII. Kap.

Courage wird als ein gräfliches Fräulein auf einem Schloß gehalten, von dem Rittmeister gar oft besucht und trefflich bedienet, aber endlich auf Erfahrung der Eltern des liebhabenden Rittmeisters durch zween Diener gar listig aus dem Schloß nacher Hamburg gebracht und daselbst elendiglich verlassen.

Das XIV. Kap.

Courage wirft ihre Liebe auf einen jungen Reuter, der einen Korporal, so ihme Hörner aufsetzen wollte, also zeichnete, daß er des Aufstehens vergaß. Darauf wird ihr Liebster harkebusiert, die Courage aber mit Steckenknechten vom Regiment geschicket, die zweien Reutern, so Gewalt an sie legen wollten, ziemlich übel mitfuhre, da ihr ein Musketierer zu Hülfe kame.

Das XV. Kap.

Courage hält sich bei einem Marketenter auf; ein Musketierer verliebt sich trefflich in sie, dem sie etliche gewisse Conditiones vorschreibet, wie sie den Ehestand ledigerweise mit ihme treiben möchte. Wird auch darauf eine Marketenterin.

Das XVI. Kap.

Courage nennet ihren Courtisan, den Musketierer, mit dem Namen Springinsfeld, dem ein Fähnderich auf der Courage Anstalt gar listig ein Paar großer Hörner aufsetzet, darzu der Courage vermeinte Mutter treulich hilft, kurz, sie ziehet ihn trefflich bei der Nasen herumb und schicket sich stattlich in den Handel.

Das XVII. Kap.

Der Courage widerfährt ein lächerlicher Posse, den ihr eine Kürschnerin auf Anstiften einer italianischen Puttanin erwiesen, als sie eben bei einem vornehmen Herren beim Nachtimbiß war; sie bezahlet aber sowohl die Puttanen als die Kürschnerin wieder redlich und ausbündig, macht auch einem Apotheker ein wunderliches Stückchen.

Das XVIII. Kap.

Die gewissenlose Courage erkauft von einem Musketierer einen Spiritum familiarem, empfindet darbei großes Glück und gehet ihr alles nach Wunsch und Willen vonstatten.

Das XIX. Kap.

Courage richtet ihren Springinsfeld zu allerlei Schelmenstücklein trefflich ab, der sich bei einer vornehmen Dame for einen Schatzgräber ausgiebt, in den Keller gelassen wird, darauf etliche kostbare Kleinodien listig erpraktiziert und bei Nacht von Courage aus dem Keller gezogen wird.

Das XX. Kap.

Courage nebenst ihrem Springinsfeld bestiehlt zween Mailänder auf unerhörte Weise, indeme sie dem einem, der sehen wollte, was in ihrer Hütten for ein Gepolter war, und den Kopf zum Guckloch aussteckte, mit scharfem Essig in die Augen sprützte, dem andern aber den Weg mit scharfen Dornen verlegte.

Das XXI. Kap.

Courage wird von ihrem Springinsfeld im Schlaf mit Ohrfeigen angepacket und übel zugerichtet, der aber, nachdem er erwachet, sie demütig umb Gnade und Verzeihung bittet, welches doch nichts helfen will.

Das XXII. Kap.

Courage wird von ihrem Springinsfeld im Schlaf aus dem Bett nur im Hembd gegen des Obristen Wachtfeuer zu getragen, darüber sie erwacht und jämmerlich zu schreien beginnet, daß alle Offizierer zulaufen und des Possens lachen; sie schaffet ihn darauf von sich und giebt ihm das beste Pferd nebenst 100 Dukaten und dem Spiritu familiari.

Das XXIII. Kap.

Courage heuratet wiederumb einen Hauptmann, wird aber dessen, ehe er kaum bei ihr erwarmet, wieder beraubet. Lässet sich darauf auf ihres ersten Hauptmanns Güter in Schwabenland nieder und treibt ihr Huren-Handwerk wie zuvor, doch gar vorsichtig, mit den eingequartierten Soldaten.

Das XXIV. Kap.

Courage bekommt eine unflätige Krankheit, reiset darauf in den Sauerbronnen und macht mit Simplicio Kundschaft; als er sie betreugt, betreugt sie ihn redlich wieder und läßt ihm ihrer Magd neugebornes Kind vor seine Tür legen nebenst schriftlichem Bericht, als ob es Courage mit ihm erzeugt hätte.

Das XXV. Kap.

Courage treibet mit einem alten Susannen-Mann in ihrem Garten ungebührliche Händel, als eben zween Musketierer auf einem Baum Birnen mauseten und der eine aus Unvorsichtigkeit die geraubten Birnen alle fallen ließ. Darüber die Courage mit ihrem alten Liebhaber vertrieben, endlich offenbaret und der Stadt verwiesen wird.

Das XXVI. Kap.

Courage wird eine Musketiererin, schachert darbei mit Tabak und Brantewein. Ihr Mann wird verschicket, welcher unterwegs einen toden Soldaten antrifft, den er ausziehet und, weil die Hosen nicht herunter wollten, ihm die Schenkel abhaut, alles zusammenpacket und bei einem Bauren einkehret, die Schenkel zu Nachts hinterlässet und Reißaus nimmt. Darauf sich ein recht lächerlicher Poss' zuträgt.

Das XXVII. Kap.

Nachdem der Courage Mann in einem Treffen geblieben und Courage selbst auf ihrem Maulesel entrunnen, trifft sie eine Ziegeuner-Schar an, unter welchen der Leutenant sie zum Weib nimmt; sie sagt einem verliebten Fräulein wahr, entwendet ihr darüber alle Kleinodien, behält sie aber nicht lang, sondern muß solche wohlabgeprügelt wiederzustellen.

Das XXVIII. Kap.

Courasche kommt mit ihrer Compagnie in ein Dorf, darinnen Kirchweih gehalten wird, reizet einen jungen Ziegeuner an, eine Henne totzuschießen; ihr Mann stellet sich, solchen aufhenken zu lassen; wie nun jedermann im Dorf hinauslief, diesem Schauspiel zuzusehen, stahlen die Ziegeunerinnen alles Gebratens und Gebackens und machen sich samt ihrer ganzen Zunft eiligst und listig darvon.

Das I. Kapitel

Gründlicher und notwendiger Vorbericht, weme zu Liebe und Gefallen und aus was dringenden Ursachen die alte Erzbetrügerin, Landstürzerin[1] und Zigeunerin Courage ihren wundernswürdigen und recht seltzamen Lebenslauf erzählet und der ganzen Welt vor die Augen stellet.

»Ja«, werdet ihr sagen, ihr Herren, »wer sollte wohl gemeint haben, daß sich die alte Schell[2] einmal unterstehen würde, dem künftigen Zorn Gottes zu entrinnen? Aber was wollt darvor sein, sie muß wohl; dann das Gumpen[3] ihrer Jugend hat sich geendigt, ihr Mutwill und Vorwitz hat sich gelegt, ihr beschwertes und geängstigtes Gewissen ist aufgewacht, und das verdrossene Alter hat sich bei ihr eingestellt, welches ihre vorige überhäufte Torheiten länger zu treiben sich schämet und die begangene Stück länger im Herzen verschlossen zu tragen ein Ekel und Abscheu hat. Das alte Rabenaas fähet einmal an zu sehen und zu fühlen, daß der gewisse Tod nächstens bei ihr anklopfen werde, ihr den letzten Abdruck[4] abzunötigen, vermittelst dessen sie unumbgänglich in ein andere Welt verreisen und von allem ihrem hiesigen Tun und Lassen genaue Rechenschaft geben muß. Darumb beginnet sie im Angesicht der ganzen Welt ihren alten Esel[5] vom überhäufter Last seiner Beschwerden zu entladen, ob sie vielleicht sich umb so viel erleichtern möchte, daß sie Hoffnung schöpfen könnte, noch endlich die himmlische Barmherzigkeit zu erlangen.« Ja, ihr liebe Herren, das werdet ihr sagen. Andere aber werden gedenken: »Sollte sich die Courage wohl einbilden dörfen, ihre alte, zusammengerumpelte Haut, die sie in der Jugend mit französischer Grindsalb, folgends mit allerhand italian- und spanischer Schminke und endlich mit ägyptischer Läussalben und vielem Gänsschmalz geschmieret, beim Feuer schwarz geräuchert und so oft eine andere Farbe anzunehmen gezwungen, wiederumb weiß zu machen? Sollte sie wohl vermeinen, sie werde die eingewurzelte Runzeln ihrer lasterhaften Stirn austilgen und sie wiederumb in den glatten Stand ihrer ersten Unschuld bringen, wann sie dergestalt ihre Bubenstück und begangne Laster berichtsweis daher-erzählet, von ihrem Herzen zu raumen[6]? Sollte wohl diese alte Vettel jetzt, da sie alle beide Füße bereits im Grab hat, wann sie anders[7] würdig ist, eines Grabs teilhaftig zu werden, diese Alte«, werdet ihr sagen, »die sich ihr Lebtag in allerhand Schand und Lastern umbgewälzt und mit mehrern Missetaten als Jahren, mit mehren Hurenstücken als Monaten, mit mehrern Diebsgriffen als Wochen, mit mehrern Todsünden als Tagen und mit mehrern gemeinen Sünden als Stunden beladen; die, deren, so alt sie auch ist, noch niemal keine Bekehrung in Sinn kommen, sich unterstehen, mit Gott zu versöhnen? Vermeinet sie wohl, anjetzo noch zurechtzukommen, da sie allbereit in ihrem Gewissen anfähet mehr höllische Pein und Marter auszustehen, als sie ihre Tage Wollüste genossen und empfunden? Ja, wann diese unnütze, abgelebte Last der Erden neben solchen Wollüsten sich nicht auch in andern allerhand Erzlastern herumbgewälzt, ja gar in der Bosheit allertiefsten Abgrund begeben und versenkt hätte, so möchte sie noch wohl ein wenig Hoffnung zu fassen die Gnad haben können.« Ja, ihr Herren, das werdet ihr sagen, das werdet ihr gedenken, und also werdet ihr euch über mich verwundern, wann euch die Zeitung[7a] von dieser meiner Haupt- oder Generalbeicht zu Ohren kommt; und wann ich solches erfahre, so werde ich meines Alters vergessen und mich entweder wieder jung oder gar zu Stücken lachen! »Warumb das, Courage? Warumb wirst du also lachen?« Darumb, daß ihr vermeinet, ein altes Weib, die des Lebens so lange Zeit wohl gewohnet und die ihr[8] einbildet, die Seele seie ihr gleichsam angewachsen, gedenke an das Sterben; eine solche, wie ihr wisset, daß ich bin und mein Lebtag gewesen, gedenke an die Bekehrung und diejenige, so ihren ganzen Lebenslauf, wie mir die Pfaffen zusprechen, der Höllen zugerichtet, gedenke nun erst an den Himmel! Ich bekenne unverhohlen, daß ich mich auf solche Hinreis, wie mich die Pfaffen überreden wollen, nicht rüsten, noch deme, was mich ihrem Vorgeben nach verhindert, völlig zu resigniern entschließen können; als worzu ich ein Stück zu wenig, hingegen aber etlicher, vornehmblich aber zweier, zu viel habe.[9] Das, so mir manglet, ist die Reu, und was mir manglen sollte, ist der Geiz und der Neid. Wann ich aber meinen Glumpen Gold, den ich mit Gefahr Leib und Lebens, ja, wie mir gesagt wird, mit Verlust der Seligkeit zusammengeraspelt, so sehr haßte, als ich meinen Nebenmenschen neide, und meinen Nebenmenschen so hoch liebte als mein Geld, so möchte vielleicht die himmlische Gabe der Reue auch folgen. Ich weiß die Art der unterschiedlichen Alter eines jeden Weibsbilds und bestätige mit meinem Exempel, daß alte Hund schwerlich bändig zu machen. Die Cholera[10] hat sich mit den Jahren bei mir vermehrt, und ich kann die Gall nicht herausnehmen, solche – wie der Metzger einen Säumagen – umbzukehren und auszubutzen; wie wollte ich dann dem Zorn widerstehen mögen? Wer will mir die überhäufte Phlegmam evakuiern[11] und mich also von der Trägheit kurieren? Wer benimmt mir die melancholische Feuchtigkeit und mit derselbigen die Neigung zum Neid? Wer wird mich überreden können, die Dukaten zu hassen, da ich doch aus langer Erfahrung weiß, daß sie aus Nöten erretten und der einige[12] Trost meines Alters sein können? Damal, damal, ihr Herrn Geistlichen, war's Zeit, mich auf denjenigen Weg zu weisen, den ich euern Rat nach jetzt erst antreten soll, als ich noch in der Blüt meiner Jugend und in dem Stand meiner Unschuld lebte; dann ob ich gleich damals die gefährliche Zeit der kützelhaften[13] Anfechtung angieng, so wäre mir doch leichter gewesen, dem sanguinischen[14] Antrieb, als jetzunder der übrigen dreien ärgsten Feuchtigkeiten[15] gewaltsamen Anlauf zugleich zu widerstehen. Darumb gehet hin zu solcher Jugend, deren Herzen noch nicht, wie der Courage, mit andern Bildnissen befleckt, und lehret, ermahnet, bittet, ja beschweret[16] sie, daß sie es aus Unbesonnenheit nimmermehr so weit soll kommen lassen, als die arme Courage getan.

»Aber höre, Courage, wann du noch nicht im Sinn hast, dich zu bekehren, warumb willst du dann deinen Lebenslauf beichtsweis erzählen und aller Welt deine Laster offenbarn?«

Das tue ich dem Simplicissimo zu Trutz, weil ich mich anderergestalt nicht an ihm rächen kann; dann nachdem dieser schlimme Vocativus[17] mich im Saurbrunnen geschwängert (scilicet[18]!) und hernach durch einen spöttlichen Possen von sich geschafft, gehet er erst hin und ruft meine und seine eigne Schand vermittelst seiner schönen Lebensbeschreibung vor aller Welt aus. Aber ich will ihm jetzunder hingegen erzählen, mit was for einem ehrbarn Zobelchen[19] er zu schaffen gehabt, damit er wisse, wessen er sich gerühmt, und vielleicht wünschet, daß er von unserer Histori allerdings[20] stillgeschwiegen hätte. Woraus aber die ganze ehrbare Welt abzunehmen, daß gemeiniglich Gaul als Gurr[21], Hurn und Buben eins Gelichters und keins umb ein Haar besser als das ander sei. Gleich und gleich gesellt sich gern, sprach der Teufel zum Kohler; und die Sünden und Sünder werden wiederumb gemeiniglich durch Sünden und Sünder abgestraft.

Das II. Kapitel

Jungfrau Lebuschka[1] (hernachmals genannte Courage) kommt in den Krieg, nennet sich Janko und muß in demselben eine Zeitlang einen Kammerdiener abgeben; dabei vermeldet wird, wie sie sich verhalten und was sich Verwunderliches ferner mit ihr zugetragen.

Diejenige, so da wissen, wie die sklavonische[2] Völker ihre leibeigne Untertanen traktiern, dörften wohl vermeinen, ich wäre von einem böhmischen Edelmann und eines Bauren Tochter erzeugt und geboren worden. Wissen und Meinen ist aber zweierlei; ich vermeine auch viel Dings und weiß es doch nicht. Wann ich sagte, ich hätte gewußt, wer meine Eltern gewesen, so würde ich lügen, und solches wäre nicht das erstemal. Dieses aber weiß ich wohl, daß ich zu Bragoditz[3] zärtlich genug auferzogen, zur Schulen gehalten und mehr als ein geringe Tochter zum Nähen, Stricken, Sticken und anderer dergleichen Frauenzimmerarbeit angeführt[4] worden bin. Das Kostgeld kam fleißig von meinem Vater, ich wußte aber drumb nicht, woher; und meine Mutter schickte manchen Gruß, mit deren ich gleichwohl mein Tage kein Wort geredet. Als der Bayerfürst[5] mit dem Bucquoy[6] in[7] Böhmen zog, den neuen König[8] wiederumb zu verjagen, da war ich eben ein fürwitzigs Ding von dreizehen Jahren, welches anfieng nachzutichten[9], wo ich doch herkommen sein möchte, und solches war mein größtes Anliegen, weil ich nicht fragen dorfte und von mir selbst nichts ergründen konnte. Ich wurde vor der Gemeinschaft der Leut verwahrt wie ein schönes Gemäl[10] vorm Staub; meine Kostfrau behielte mich immer in den Augen, und weil ich mit andern Töchtern meines Alters keine Gespielschaft machen dorfte, siehe, so vermehrten sich meine Grillen und Dauben[11], die der Fürwitz in meinem Hirn ausheckte, außer welchen ich mich auch mit sonst nichts bekümmerte.

Als sich nun der Herzog aus Bayern vom Bucquoy separierte, gieng der Bayer vor Budweis[12], dieser aber vor Bragoditz. Budweis ergab sich beizeiten und tät sehr weislich; Bragoditz aber erwartet' und erfuhr den Gewalt der kaiserlichen Waffen, welche auch mit den Halsstarrigen grausam umbgiengen. Da nun meine Kostfrau schmeckte, wo die Sach hinauswollte, sagte sie zeitlich[13] zu mir: »Jungfrau Libuschka, wann Ihr eine Jungfrau bleiben wollt, so müßt Ihr Euch scheren lassen und Mannskleider anlegen, wo nicht, so wollte ich Euch keine Schnalle umb Euer Ehre geben, die mir doch so hoch befohlen worden zu beobachten.« Ich dachte: »Was for frembde Reden sein mir das?« Sie aber kriegte eine Scher und schnitte mir mein goldfarbes Haar auf der rechten Seiten hinweg, das auf der linken aber ließe sie stehen in aller Maß und Form, wie es die vornehmbste Mannspersonen damals trugen. »So, mein Tochter«, sagte sie, »wann Ihr diesem Strudel mit Ehren entrinnet, so habt Ihr noch Haar genug zur Zierd, und in einem Jahr kann Euch das ander auch wieder wachsen.« Ich ließe mich gern trösten, dann ich bin von Jugend auf genaturt[14] gewesen, am allerliebsten zu sehen, wann es am allernärrischten hergieng; und als sie mir auch Hosen und Wambst angezogen, lernte sie mich weitere Schritte tun und wie ich mich in den übrigen Gebärden verhalten sollte. Also erwarteten wir der kaiserlichen Völker Einbruch in die Stadt, meine Kostfrau zwar mit Angst und Zittern, ich aber mit großer Begierde, zu sehen, was es doch for eine neue, ungewöhnliche Kürbe[15] setzen würde. Solches wurde ich bald gewahr. Ich will mich aber drumb nicht aufhalten mit Erzählung, wie die Männer in der eingenommenen Stadt von den Uberwindern gemetzelt, die Weibsbilder genotzüchtiget und die Stadt selbst geplündert worden, sintemal solches in dem verwichenen, langwierigen Krieg so gemein und bekannt worden, daß alle Welt genug darvon zu singen und zu sagen weiß. Dies bin ich schuldig zu melden, wann ich anders mein ganze Histori erzählen will, daß mich ein teutscher Reuter for einen Jungen mitnahm, bei dem ich der Pferte warten und forragiern[16], das ist stehlen, helfen sollte. Ich nennete mich Janko und konnte ziemlich teutsch lallen, aber ich ließe mich's, aller Böhmen Brauch nach, drumb nicht merken; darneben war ich zart, schön und adelicher Gebärden, und wer mir solches jetzt nicht glauben will, dem wollte ich wünschen, daß er mich vor 50 Jahren gesehen hätte, so würde er mir dessentwegen schon ein ander gut Zeugnis geben.

Als mich nun dieser mein erster Herr zur Compagnia brachte, fragte ihn sein Rittmeister, welches in Wahrheit[17] ein schöner, junger, tapferer Kavalier war, was er mit mir machen wollte. Er antwortet': »Was andere Reuter mit ihren Jungen machen; mausen und der Pferte warten, worzu die böhmische Art, wie ich höre, die beste sein soll; man sagt for gewiß, wo ein Böhm Kuder[18] aus einem Haus trage, da werde gewißlich kein Teutscher Flachs in finden.« »Wie aber«, ant-

wortet' der Rittmeister, »wann er dies böhmisch Handwerk an dir anfieng' und ritte dir zum Probstück deine Pferd hinweg?« »Ich will«, sagt' der Reuter, »schon Achtung auf ihn geben, bis ich ihn aus der Küheweid[19] bringe.« »Die Baurenbuben«, antwortet' der Rittmeister, »die bei den Pferten erzogen worden, geben viel bessere Reuterjungen als die Burgerssöhne, die in den Städten nicht lernen können, wie einem Pferte zu warten; zudem dunkt mich, dieser Jung sei ehrlicher Leut Kind und viel zu häckel[20] auferzogen worden, einem Reuter seine Pferd zu versehen.« Ich spitzte die Ohren gewaltig, ohne daß ich dergleichen getan hätte[21], daß ich etwas von ihrem Diskurs verstünde, weil sie teutsch redeten. Meine größte Sorg war, ich möchte wiederabgeschafft und nach dem geplünderten Bragoditz zuruckgejagt werden, weil ich die Trommeln und Pfeifen, das Geschütz und die Trompeten, von welchem Schall mir das Herz im Leib aufhupfte, noch nicht satt genug gehört hatte. Zuletzt schickte sich's – ich weiß nicht, zu meinem Glück oder Unglück –, daß mich der Rittmeister selbst behielte, daß ich seiner Person wie ein Page und Kammerdiener aufwarten sollte; dem Reuter aber gab er einen andern böhmischen Knollfinken[22] zum Jungen, weil er ja einen Dieb aus unserer Nation haben wollte.
Also schickte ich mich nun gar artlich in den Possen. Ich wußte meinem Rittmeister so trefflich zu fuchsschwänzen[23], seine Kleidungen so sauber zu halten, sein weiß leinen Zeug so nett[24] zu akkommodiern[25] und ihm in allem so wohl zu pflegen, daß er mich for den Kern[26] eines guten Kammerdieners halten mußte; und weil ich auch einen großen Lust zum Gewehr[27] hatte, versahe ich dasselbe dergestalten, daß sich Herr und Knechte darauf verlassen durften, und dannenhero erhielte ich bald von ihm, daß er mir einen Degen schenkte und mich mit einer Maultasche[28] wehrhaft machte. Über das, daß ich mich hierin so frisch hielte, mußte sich auch jedermann über mich verwundern und for die Anzeigung eines unvergleichlichen Verstands halten, daß ich so bald teutsch reden lernete, weil niemand wußte, daß ich's bereits

von Jugend auf lernen müssen. Darneben beflisse ich mich aufs höchste, alle meine weibliche Sitten auszumustern und hingegen mannliche anzunehmen. Ich lernte mit Fleiß fluchen wie ein anderer Soldat und darneben saufen wie ein Bürstenbinder, soff Brüderschaft mit denen, die ich vermeinte, daß sie meinesgleichens wären, und wann ich etwas zu beteuern hatte, so geschahe es bei Dieb- und Schelmenschelten[29], damit ja niemand merken sollte, warumb[30] ich in meiner Geburt zu kurz kommen oder was ich sonst nicht mitgebracht.

Das III. Kapitel

Janko vertauschet sein edles Jungferkränzlein bei einem resoluten Rittmeister umb den Namen Courasche.

Mein Rittmeister war, wie hieroben gemeldet, ein schöner, junger Kavalier, ein guter Reuter, ein guter Fechter, ein guter Dänzer, ein reuterischer[1] Soldat und überaus sehr auf das Jagen verbicht; sonderlich mit Windhunden die Hasen zu hetzen war sein größter Spaß. Er hatte so viel Barts umbs Maul als ich, und wann er Frauenzimmerkleider angehabt hätte, so hätte ihn der Tausendste[2] for eine schöne Jungfrau gehalten. Aber wo komm ich hin? Ich muß meine Histori erzählen. Als Budweis und Bragoditz über[3], giengen beide Armeen vor Pilsen, welches sich zwar tapfer wehrete, aber hernach auch mit jämmerlichem Würgen und Aufhenken seine Straf empfieng. Von dannen ruckten sie auf Rakonitz[4], allwo es die erste Stöß im Feld setzte, die ich sahe; und damals wünschte ich, ein Mann zu sein, umb dem Krieg meine Tage nachzuhängen; dann es gieng so lustig her, daß mir das Herz im Leib lachte; und solche Begierde vermehrte mir die Schlacht auf dem Weißen Berg bei Prag, weil die Unsere einen großen Sieg erhielten und wenig Volk einbüßten. Damals machte mein Rittmeister treffliche Beuten; ich aber ließe mich nicht wie ein Page oder Kämmerling, viel weni-

ger als ein Mägdchen, sondern wie ein Soldat gebrauchen, der an den Feind zu gehen geschworen und darvon seine Besoldung hat.
Nach diesem Treffen marschiert' der Herzog aus Bayern[5] in Österreich, der sächsische Kurfürst[6] in die Lausnitz[7] und unser General Bucquoy in[8] Mähren, des Kaisers Rebellen wiederumb in Gehorsam zu bringen; und indem sich dieser letztere an seiner bei Rakonitz empfangenen Beschädigung[9] kurieren ließe, siehe, da bekam ich mitten in derselbigen Ruhe, so wir seinethalber genossen, eine Wunden in mein Herz, welche mir meines Rittmeisters Liebwürdigkeit hineintruckte; dann ich betrachtete nur diejenige Qualitäten, die ich oben von ihm erzählet, und achtete gar nicht, daß er weder lesen noch schreiben konnte und im übrigen so ein roher Mensch war, daß ich bei meiner Treu schweren kann, ich hätte ihn niemalen hören oder sehen beten. Und wann ihn gleich der weise König Alphonsus[10] selbst eine schöne Bestia genannt hätte, so wäre mein Liebesfeur, das ich hegte, doch nicht darvon verloschen, welches ich aber heimlich zu halten gedachte, weil mir's meine wenig übrighabende[11] jungfräuliche Schamhaftigkeit also riete. Es geschahe aber mit solcher Ungeduld, daß ich unangesehen meiner Jugend, die noch keines Manns wert war, mir oft wünschte, derjenigen Stelle zu vertreten, die ich und andere Leute ihm zuzeiten zukuppelten. So hemmte anfänglich auch nicht wenig den ungestümen und gefährlichen Ausbruch meiner Liebe, daß mein Liebster von einem edlen und namhaften Geschlecht geboren war, von dem ich mir einbilden mußte, daß er keine, die ihre Eltern nicht kennete, ehelichen würde; und seine Matresse zu sein konnte ich mich nicht entschließen, weil ich täglich bei der Armee so viel Huren sahe preismachen[12].
Ob nun gleich dieser Krieg und Streit, den ich mit mir selber führte, mich greulich quälte, so war ich doch geil[13] und ausgelassen darbei, ja von einer solchen Natur, daß mir weder mein innerlichs Anliegen noch die äußerliche Arbeit und Kriegsunruhe etwas zu schaffen gab. Ich hatte zwar

nichts zu tun, als einzig meinem Rittmeister aufzuwarten; aber solches lernete mich die Liebe mit solchem Fleiß und Eifer verrichten, daß mein Herr tausend Eid for einen geschworen hätte, es lebte kein treuerer Diener auf dem Erdboden. In allen Okkasionen, sie wären auch so scharf gewesen, als sie immer wollten, kame ich ihme niemalen vom Rucken oder der Seiten, wiewohl ich's gar nicht zu tun schuldig war; und überdas war ich allzeit willig, wo ich nur etwas zu tun wußte, das ihm gefiele. So hätte er auch gar wohl aus meinem Angesicht lesen können, wann ihn nur meine Kleider nicht betrogen, daß ich ihn weit mit einer anderen als eines gemeinen Dieners Andacht geehrt und angebetet. Indessen wuchse mir mein Busen je länger, je größer und druckte mich der Schuh je länger, je heftiger dergestalt, daß ich weder von außen meine Brüste noch den innerlichen Brand im Herzen länger zu verbergen getraute.
Als wir Iglau bestürmet, Trebitz bezwungen, Znaim zum Akkord gebracht, Brünn und Olmütz[14] unter das Joch geworfen und meistenteils alle andere Städte zum Gehorsam getrieben, seind mir gute Beuten zugestanden, welche mir mein Rittmeister, meiner getreuen Dienste wegen, alle schenkte, wormit ich mich trefflich mundierte[15] und selbst zum allerbesten beritten machte, meinen eignen Beutel spickte und zuzeiten bei dem Markedentern[16] mit den Kerln ein Maß Wein trank. Einsmals machte ich mich mit etlichen lustig, die mir aus Neid empfindliche Wort gaben, und sonderlich war ein feindseliger darunter, der die böhmische Nation gar zu sehr schmähete und verachtete. Der Narr hielte mir vor, daß die Böhmen ein faulen Hund voller Maden for ein stinkenden Käs gefressen hätten, und foppte mich allerdings[17], als wann ich persönlich darbeigewesen wäre; derowegen kamen wir beiderseits zu Scheltworten, von den Worten zu Nasenstübern und von den Stößen zum Rupfen und Ringen, unter welcher Arbeit mir mein Gegenteil mit der Hand in Schlitz wischte, mich bei demjenigen Geschirr zu erdappen, das ich doch nicht hatte, welcher zwar vergebliche, doch mörderische Griff mich viel mehr verdrosse, als wann er nicht

leer abgangen wäre, und eben darumb wurde ich desto verbitterter, ja gleichsam halber unsinnig, also daß ich aller meiner Stärk und Geschwindigkeit zusammengebote und mich mit Kratzen, Beißen, Schlagen und Treten dergestalt wehrete, daß ich meinen Feind hinunterbrachte und ihn im Angesicht also zurichtete, daß er mehr einer Teufelslarven als einem Menschen gleichsahe; ich hätte ihn auch gar erwürgt, wann mich die andere Gesellschaft nicht von ihm gerissen und Fried gemacht hätte. Ich kam mit einem blauen Aug darvon und konnte mir wohl einbilden, daß der schlimme Kund gewahr worden, was Geschlechts ich gewesen, und ich glaub auch, daß er's offenbart hätte, wann er nicht gefürchtet, daß er entweder mehr Stöße bekommen oder zu denen, die er allbereit empfangen, ausgelacht worden wäre, umb daß er sich von einem Mägdchen schlagen lassen; und weil ich sorgte, er möchte noch endlich[18] schnellen[19], siehe, so drehete ich mich aus[20].

Mein Rittmeister war nicht zu Haus, als ich in unser Quartier kam, sondern bei einer Gesellschaft anderer Offizier, mit denen er sich lustig machte, allwo er auch erfuhr, was ich for eine Schlacht gehalten, ehe ich zu ihm kam. Er liebte mich als ein resolutes junges Bürschel, und eben darumb war mein Filz[21] desto geringer; doch unterließe er nicht, mir dessentwegen einen Verweis zu geben. Als aber die Predigt am allerbesten war und er mich fragte, warumb ich meinen Gegenteil so gar abscheulich zugerichtet hätte, antwortet ich: »Darumb, daß er mir nach der Courage gegriffen hat, wohin sonst noch keines Mannsmenschen Hände kommen sein.« (Dann ich wollte es verzwicken[22] und nicht so grob nennen, wie die Schwaben ihre zusammengelegte Messer[23], welche man, wann ich Meister wäre, auch nicht mehr so unhöflich, sondern »unzüchtige Messer« heißen müßte.) Und weil meine Jungfrauschaft ohnedas sich in letzten Zügen befand, zumalen ich wagen mußte[24], mein Gegenteil würde mich doch verraten, siehe, so entblößte ich meinen schneeweißen Busen und zeigte dem Rittmeister meine anziehende, harte Brüste. »Sehet, Herr«, sagte ich, »hie sehet Ihr eine Jungfrau, welche sich zu Bragoditz verkleidet hat, ihre Ehr vor den Soldaten zu erretten; und demnach sie Gott und das Glück[25] in Euere Hände verfügt, so bittet sie und hofft, Ihr werdet sie auch als ein ehrlicher Kavalier bei solcher ihrer hergebrachten Ehr beschützen.« Und als ich solches vorgebracht hatte, fieng ich so erbärmlich an zu weinen, daß einer drauf gestorben wäre, es sei mein gründlicher Ernst gewesen.

Der Rittmeister erstaunete zwar vor Verwunderung und mußte doch lachen, daß ich mit einen neuen Namen viel Farben beschrieben hatte, die mein Schild und Helm führte. Er tröstete mich gar freundlich und versprach mit gelehrten Worten, meine Ehre wie sein eigen Leben zu beschützen; mit den Werken aber bezeugte er alsobalden, daß er der erste wäre, der meinem Kränzlein nachstellte, und sein unzüchtig Gegrabbel gefiele mir auch viel besser als sein ehrlichs Versprechen. Doch wehrete ich mich ritterlich, nicht zwar, ihme zu entgehen oder seinen Begierden zu entrinnen, sondern ihn recht zu hetzen und noch begieriger zu machen; allermaßen[26] mir der Poss' so artlich angieng[27], daß ich nichts geschehen ließe, bis er mir zuvor bei Teufelholen versprach, mich zu ehelichen, unangesehen ich mir wohl einbilden konnte, er würde solches so wenig im Sinn haben zu halten, als den Hals abzufallen. Und nun schaue, du guter Simplex, du dörftest dir hiebevor im Saurbrunnen vielleicht eingebildet haben, du seiest der erste gewesen, der den süßen Milchraum[28] abgehoben. Ach nein, du Tropf! Du bist betrogen, er war hin, ehe du vielleicht bist geboren worden, darumb dir dann billig, weil du zu spat aufgestanden, nur der Zeiger[29] gebührt und vorbehalten worden. Aber dies ist nur Puppenwerk[30] gegen dem zu rechnen, wie ich dich sonst angeseilt und betrogen habe, welches du an seinem Ort auch gar ordenlich[31] von mir vernehmen sollt.

Das IV. Kapitel

Courage wird darumb eine Ehefrau und Rittmeisterin, weil sie gleich darauf wieder zu einer Witbe werden mußte, nachdem sie vorhero den Ehestand eine Weile ledigerweise getrieben hatte.

Also lebte ich nun mit meinem Rittmeister in heimlicher Liebe und versahe ihm beides[1], die Stelle eines Kammerdieners und seines Eheweibs. Ich quälte ihn oft, daß er dermaleneins sein Versprechen halten und mich zur Kirchen führen sollte, aber er hatte allzeit eine Ausrede, vermittelst deren er die Sach auf die lange Bank schieben konnte. Niemalen konnte ich ihn besser zu Chor treiben[2], als wann ich eine gleichsam unsinnige Liebe gegen ihn bezeugte und darneben meine Jungfrauschaft wie des Jephthae Tochter[3] beweinte, welchen Verlust ich doch nicht dreier Heller wert schätzte; ja ich war froh, daß mir solche als ein schwerer, unträglicher Last entnommen war, weil mich nunmehr der Fürwitz verlassen. Doch brachte ich mit meiner liebreizenden Importunität[4] so viel zuwegen, daß er mir zu Wien ein doll[5] Kleid machen ließe auf die neue Mode, wie es damalen das adeliche Frauenzimmer in Italia trug (so daß mir nichts anders manglete als die Kopulation und daß man mich einmal Frau Rittmeisterin nennete), wormit er mir eine große Hoffnung machte und mich willig behielte. Ich dorfte aber drumb dasselbig Kleid nicht tragen noch mich for ein Weibsbild, viel weniger aber for seine Gespons[6] ausgeben; und was mich zum allermeisten verdrosse, war dies, daß er mich nicht mehr Janko, auch nicht Libuschka, sondern Courage nannte; denselben Namen ähmten andere nach, ohne daß sie dessen Ursprung wußten, sondern vermeinten, mein Herr hieße mich dessentwegen also, weil ich mit einer sonderbaren Resolution und unvergleichlichen Courage in die allerärgste Feindsgefahrn zu gehen pflegte; und also mußte ich schlucken, was schwer zu verdauen war. Darumb, o ihr lieben Mägdchen, die ihr noch euer Ehr und Jungfrauschaft unversehrt erhalten habt, seid gewarnet und lasset euch solche so liederlich nicht hinrauben, dann mit derselbigen gehet zugleich euere Freiheit in Duckas[7], und ihr geratet in ein solche Marter und Sklaverei, die schwerer zu erdulden ist als der Tod selbsten. Ich hab's erfahren und kann wohl ein Liedlein darvon singen. Der Verlust meines Kränzleins tät mir zwar nicht wehe, dann ich hab niemal kein Schloß darumb zu kaufen begehrt[8]; aber dieses gieng mir zu Herzen, daß ich mich noch deswegen foppen lassen und noch gute Wort darzu geben mußte, wollte ich nicht in Sorgen leben, daß mein Rittmeister aus der Schul schwatzen und mich aller Welt zu Spott und Schand darstellen möchte. Auch ihr Kerl, die ihr mit solcher betrüglichen Schnapphahnerei umbgehet, sehet euch vor, daß ihr nicht den Lohn euerer Leichtfertigkeit von deren empfahet, die ihr zu billicher Rach beweget; wie man ein Exempel zu Paris hat, allwo ein Kavalier, nachdem er eine Dame betrogen und sich folgends an ein andere verheuraten wollte, wiederumb zum Beischlaf gelockt, des Nachts aber ermordet, elend zerstümmelt und zum Fenster hinaus auf die offene Straß geworfen wurde. Ich muß von mir selbst bekennen, wann mich mein Rittmeister nicht mit allerhand herzlichen Liebsbezeugungen unterhalten und mir nicht stetig Hoffnung gemacht hätte, mich noch endlich ohne allen Zweifel zu ehelichen, daß ich ihm einmal unversehens in einer Okkasion ein Kugel geschenkt hätte. – Indessen marschierten wir unter des Bucquoy Kommando in Ungarn und nahmen zum ersten Preßburg ein[9], allwo wir auch unsere meiste Bagage und beste Sachen hinderlegeten, weil sich mein Rittmeister versahe, wir würden mit dem Bethlen Gabor[10] eine Feldschlacht wagen müssen. Von dannen giengen wir nach S. Georgi, Possing, Moder[11] und andere Ort, welche erstlich geplündert und hernach verbrennt wurden; Tirnau, Altenburg und fast die ganze Insul[12] nahmen wir ein, und vor Neusoll[13] kriegten wir einige Stöße, allwo nicht allein mein Rittmeister tödlich verwundet, sondern auch unser General, der Graf Bucquoy, selbsten niedergemacht wurde, welcher Tod dann verursachte, daß wir anfiengen zu fliehen und nicht aufhöreten, bis wir nach Preßburg kamen. Daselbst pflegte ich meinem Rittmeister mit ganzen Fleiß, aber die Wundärzte prophezeiten ihm den gewissen Tod, weil ihm die Lung verwundet war. Derowegen wurde er auch durch gute Leute erinnert und dahin bewögt[14], daß er sich mit Gott versöhnet; dann unser Regimentskaplan war ein solcher eiferiger Seelensorger, daß er ihm keine Ruhe ließ, bis er beichtet' und kommunizierte. Nach solchem wurde er beides, durch seinen Beichtvater und sein eigen Gewissen angesport[15] und getrieben, daß er mich mit ihme[16] im Bette kopulieren ließe, welches nicht seinem Leib, sondern seiner Seelen zum Besten angesehen war; und solches gieng desto ehender, weil ich ihn überredet, daß ich mich von ihm schwanger befände. So verkehrt nun gehet's in der Welt her, andere nehmen Weiber, mit ihnen ehelich zu leben, dieser aber ehelichte mich, weil er wußte, daß er sollte sterben! Aus diesem Verlauf mußten die Leute nun glauben, daß ich ihn nicht als ein getreuer Diener, sondern als seine Matress'[17] bedient und sein Unglück beweinet hatte. Das Kleid kam mir wohl zu der Hochzeitzeremonien zupaß, welches er mir hiebevor machen lassen; ich dorfte es aber nicht lang tragen, sondern mußte ein schwarzes haben, weil er nach wenig Tagen mich zur Wittib machte; und damals gieng mir's allerdings wie jenem Weib, die bei ihres Manns Begräbnis einem ihrer Befreundten, der ihr das Leid klagte, zur Antwort gab: »Was einer zum liebsten hat, führt einem der Teufel zum ersten hin.« Ich ließe ihn seinem Stand gemäß prächtig genug begraben, dann er mir nicht allein schöne Pferd, Gewehr und Kleider, sondern auch ein schön Stück Geld hinterlassen; und umb alle diese Begebenheit ließe ich mir von den Geistlichen schriftlichen Urkund geben, der Hoffnung, dardurch von seiner Eltern Verlassenschaft noch etwas zu erhaschen. Ich konnte aber auf fleißiges Nachforschen nichts anders erfahren, als daß er zwar gut edel von Geburt, aber hingegen so blutarm gewesen, daß er sich elend behelfen müssen, wann ihm die Böhmen keinen Krieg geschickt oder zugericht hätten. Ich verlore aber zu Preßburg nicht allein diesen meinen Liebsten, sondern wurde auch in selbiger Stadt vom Bethlen Gabor belägert; dieweil aber zehen Kompagnien Reuter und zwei Regiment zu Fuß aus Mähren durch ein Strategema[18] die Stadt entsetzet, Bethlen an der Eroberung verzweifelt und die Belägerung aufgehoben, habe ich mich mit einer guten Gelegenheit samt meinen Pferten, Dienern und ganzer Pagage nach Wien begeben, umb von dannen wiederumb in Böhmen zu kommen, zu sehen, ob ich vielleicht meine Kostfrau zu Bragoditz noch lebendig finden und von ihr erkundigen möchte, wer doch meine Eltern gewesen. Ich kützelte mich damals mit keinen geringen Gedanken, was ich nämlich for Ehr und Ansehens haben würde, wann ich wieder nach Haus käme und so viel Pferd und Diener mitbrächte, das ich alles laut meiner Urkund im Krieg redlich und ehrlich gewonnen.

Das V. Kapitel

Was die Rittmeisterin Courage in ihrem Wittibstand for ein ehrbares, züchtiges wie auch verruchtes, gottloses Leben geführet, wie sie einem Grafen zu Willen wird, einen Ambassador[1] um seine Pistolen[2] bringet und sich andern mehr, umb reiche Beute zu erschnappen, willig unterwirft.

Weil ich meine vorhabende Reise Unsicherheit halber von Wien aus nach Bragoditz so bald nicht ins Werk zu setzen getraute, zumalen es in den Wirtshäusern grausam teuer zu zehren war, als' verkaufte ich meine Pferte und schaffte alle meine Diener ab, dingte mir aber hingegen eine Magd und bei einer Wittib eine Stube, Kammer und Kuchel[3], umb genau zu hausen[4] und Gelegenheit zu erwarten, mit deren ich sicher nach Haus kommen könnte. Dieselbe Wittib war ein rechtes Daus-As[5], die nicht viel ihresgleichen hatte. Ihre zwo Töchter aber waren unsers Volks und beides, bei der Hofbursch[6] und den Kriegsoffiziern wohlbekannt, welche mich auch bei denselben bald bekannt machten, so daß dergleichen Schnapphahnen in Kürze die große Schönheit der Rittmeisterin, die sich bei ihnen enthielte[7], untereinander zu rühmen wußten; gleichwie mir aber mein schwarzer Traurhabit ein sonderbares Ansehen und ehrbare Gravität verliehe, zumalen meine Schönheit desto höher hervürleuchten machte, also hielte ich mich auch anfänglich gar still und eingezogen. Meine Magd mußte spinnen, ich aber begab mich aufs Nähen, Wirken und andere Frauenzimmerarbeit, daß es die Leute sahen, heimlich aber pflanzte ich meine Schönheit auf[8], und konnte oft ein ganze Stund vorm Spiegel stehen, zu lernen und zu begreifen, wie mir das Lachen, das Weinen, das Seufzen und andere dergleichen veränderliche Sachen anstunden; und diese Torheit sollte mir ein genugsame Anzeigung meiner Leichtfertigkeit und eine gewisse[8a] Prophezeiung gewesen sein, daß ich meiner Würtin Töchtern bald nachähmen würde; welche auch, damit solches bald geschehe, samt der Alten anfiengen, gute Kundschaft mit mir zu machen, und, mir die Zeit zu kürzen, mich oft in meinem Zimmer besuchten, da es dann solche Diskurse setzte, die so jungen Dingern, wie ich war, die Frommkeit zu erhalten gar ungesund zu sein pflegen; sonderlich bei solchen Naturen, wie die meinige inkliniert[9] gewesen. Sie wußte mit weitläufigen Umbschweifen artlich herumbzukommen und lernete meine Magd anfänglich, wie sie mich recht auf die neue Mode aufsetzen[10] und ankleiden sollte; mich selbst aber unterrichtet' sie, wie ich meine weiße Haut noch weißer und meine goldfarbe' Haar noch glänzender machen sollte; und wann sie mich dann so gebutzt hatte, sagte sie, es wäre immer schad, daß so ein edele Kreatur immerhin in einem schwarzen Sack stecken und wie ein Turteltäublein leben sollte[10a]. Das tät mir dann trefflich kirr[11] und war Öl zu dem ohnedas brennenden Feuer meiner anreizenden Begierden. Sie lehnete[12] mir auch den ›Amadis‹[13], die Zeit darin zu vertreiben und Komplimenten daraus zu ergreifen; und was sie sonst erdenken konnte, das zu Liebeslüsten reizen machte, das ließe sie nicht unterwegen.

Indessen hatten meine abgeschaffte Diener ausgesprengt und unter die Leute gebracht, was ich for eine Rittmeisterin gewesen und wie ich zu solchem Titul kommen, und weil sie mich nicht anders zu nennen wußten, verbliebe mir der Nam »Courage«. Auch fieng ich nach und nach an, meines Rittmeisters zu vergessen, weil er mir nicht mehr warm gab[14], und indem ich sahe, daß meiner Würtin Töchter so guten Zuschlag hatten, wurde mir das Maul allgemach nach neuer Speise wässerig, welche mir auch meine Würtin lieber als ihr selbst gern gegönnt hätte. Doch dorfte sie mir, solang ich die Traur nicht ablegte, noch nichts dergleichen so offentlich zumuten, weil sie sahe, daß ich die Anwürf[15], so hierauf zieleten, gar kaltsinnig annahm; gleichwohl unterließen etliche vornehme Leute nicht, ihr täglich meinetwegen anzuliegen und umb ihr Haus herumbzuschwärmen wie die Raubbienen umb ein Immenfaß. Unter diesen war ein junger Graf, der mich neulich in der Kirchen gesehen und sich aufs äußerste verliebt hatte. Dieser spendierte trefflich, einen Zutritt zu mir zu bekommen; und damit es ihm anderwärts gelingen möchte, weil ihn meine Würtin noch zur Zeit nicht kecklich bei mir anzubringen getraute (die er dessentwegen oft vergeblich ersucht), erkundigte er von einem meiner gewesenen Diener alle Beschaffenheit des Regiments, darunter mein Rittmeister gelebt, und als er der Offizier Namen wußte, demütigt' er sich, mir aufzuwarten oder mich persönlich zu besuchen, umb seinen Bekannten nachzufragen, die er sein Lebtag nicht gesehen hatte. Von dannen kam er auch auf meinen Rittmeister, von welchem er aufschnitte, daß er in der Jugend neben ihm studiert und allzeit gute Kundschaft und Verträulichkeit mit ihm gehabt hätte, beklagte auch seinen frühezeitigen Abgang und lamentierte damit zugleich über mein Unglück, daß es mich in einer solchen zarten Jugend so bald zu einer Wittib gemacht, mit Anerbieten, da ich in irgendwas seiner Hülfe bedürftig wäre, etc. Mit solchen und dergleichen Aufzügen suchte der junge Herr sein erste Kundschaft mit mir zu machen, die er auch bekam, und ob ich zwar greifen konnte, daß er im Reden irrete (dann mein Rittmeister hatte ja das geringste nicht studiert), so ließe ich mir doch seine Weise wohlgefallen, weil seine Meinung dahingieng, des abgangnen Rittmeisters Stell bei mir zu ersetzen. Doch stellte ich mich gar frembd und kaltsinnig, gab kurzen Bescheid und zwang ein zierlichs Weinen daher, bedankte mich seines Mitleidens und der anerbotenen Gnad mit so beschaffnen Komplimenten, die genugsamb waren, ihme anzudeuten, daß sich seine Liebe für diesmal mit einem guten Anfang genügen lassen, er selbst aber wiederumb einen ehrlichen Abscheid von mir nehmen sollte.

Den andern Tag schickte er seinen Lakaien, zu vernehmen, ob er mir kein Ungelegenheit machte, wann er käme, mich zu besuchen. Ich ließe ihm wiedersagen, er machte mir zwar keine Ungelegenheit, und ich möchte seine Gegenwart auch wohl leiden, allein weil es wunderliche Leute in der Welt gebe, denen alles verdächtig vorkäme, so bäte ich, er wolle meiner verschonen und mich in kein bös Geschrei bringen. Diese unhöfliche Antwort machte den Grafen nicht allein nicht zornig, sondern viel verliebter. Er passierte maulhenkolisch[16] bei dem Hause vorüber, der Hoffnung, aufs wenigst nur seine Augen zu weiden, wann er mich am Fenster sehe, aber vergeblich: Ich wollte meine War recht teuer an Mann bringen und ließe mich nicht sehen. Indessen nun dieser vor Liebe halber vergieng, legte ich meine Trauer ab und prangte in meinem andern Kleid, darin ich mich dorfte sehen lassen; da unterließe ich nichts, das mich ziern möchte, und zohe damit die Augen und Herzen vieler großen Leut an mich, welches aber nur geschahe, wann ich zur Kirchen gieng, weil ich sonst nirgends hinkam. Ich hatte täglich viel Grüße und Potschaften von diesen und von jenen anzuhören, die alle in des Grafen Spital krank lagen[17]; aber ich bestunde so unbewöglich wie ein Felsen, bis ganz Wien nicht allein von dem Lob meiner unvergleichlichen Schönheit, sondern auch von dem Ruhm meiner Keuschheit und anderer seltenen Tugenden erfüllt ward. Da ich nun meine Sach so weit gebracht, daß man mich schier for eine halbe Heiliginne hielte, dunkte mich Zeit sein, meinen bisher bezwungenen Begierden den Zaum einmal schießen zu lassen und die Leute in ihrer guten von mir gefaßten Meinung zu betrügen. Der Graf war der erste, dem ich Gunst bezeugte und widerfahren ließe, weil er solche zu erlangen weder Mühe noch Unkosten sparete. Er war zwar liebenswert und liebte mich auch von Herzen, und ich hielte ihn for den Besten unterm ganzen Haufen, mir meine Begierden zu sättigen; aber dannoch so wäre er nicht darzu kommen, wann er mir nicht gleich nach abgelegter Traur ein Stück kolumbinen[18] Atlas mit aller Ausstaffierung zu einem neuen Kleid geschickt und vor allen Dingen 100 Dukaten in meine Haushaltung, umb daß ich mich über meines Manns Verlust desto besser trösten sollte, verehrt hätte. Der ander nach ihm war eines großen Potentaten Ambassador, welcher mir die erste Nacht 60 Pistolen zu verdienen gabe, nach diesen kamen auch andere, und zwar keine, die nicht tapfer spendieren konnten, dann was arm war oder wenigst nicht gar reich und hoch, das mochte entweder draußen bleiben oder sich mit meiner Würtin Töchtern behelfen. Und solchergestalt richtete ich's dahin, daß meine Mühle gleichsamb nie leer stunde, ich malzerte[19] auch so meisterlich, daß ich inner Monatsfrist über 1000 Dukaten in specie[20] zusammenbrachte ohne dasjenige, was mir an Kleinodien, Ringen, Ketten, Armbändern, Sammet, Seiden und Leinengezeug (mit Strümpfen und Handschuhen dorfte wohl keiner aufziehen), auch an Viktualien[21], Wein und anderen Sachen verehrt wurde, und also gedachte ich mir meine Jugend fürderhin zunutz zu machen, weil ich wußte, daß es heißt:

»Ein jeder Tag bricht dir was ab
Von deiner Schönheit bis ins Grab.«

Und es müßte mich auch noch auf diese Stund reuen, wann ich weniger getan hätte. Endlich machte ich's so grob, daß die Leute anfiengen, mit Fingern auf mich zu zeichen und ich mir wohl einbilden konnte, die Sach würde so in die Länge kein Gut tun; dann ich schlug zuletzt dem Geringen auch keine Reis[22] ab; meine Würtin war mir treulich beholfen und hatte auch ihren ehrlichen Gewinn davon. Sie lernete mich allerhand feine Künste, die nicht nur leichtfertige Weiber können, sondern auch solche, damit sich teils[23] lose Männer schleppen; sogar, daß ich mich auch fest machen und einem jeden, wann ich nur wollte, seine Büchsen zubannen[24] konnte, und ich glaube, wann ich länger bei ihr blieben wäre, daß ich auch gar hexen gelernt hätte. Demnach ich aber getreulich gewarnet wurde, daß die Obrigkeit unser Nest ausnehmen und zerstören würde, kaufte ich mir eine Kalesch[25] und zwei Pferd, dingte einen Knecht und machte mich damit unversehens aus dem Staub, weil ich eben gute Gelegenheit hatte, sicher nach Prag zu kommen.

Das VI. Kapitel

Courage kommt durch wunderliche Schickung in die zweite Ehe und freiete einen Hauptmann, mit dem sie trefflich glückselig und vergnügt lebte.

Ich hätte zu Prag feine Gelegenheit gehabt, mein Handwerk ferners zu treiben; aber die Begierde, meine Kostfrau zu sehen und meine Eltern zu erkundigen, triebe mich, auf Bragoditz zu reisen, welches ich als in einem befriedeten[1] Land sicher zu tun getraute. Aber potz Herz, da ich an einem Abend allbereit den Ort vor mir liegen sahe, da kamen eilf Mansfeldische Reuter, die ich, wie sonst jedermann getan hatte, for kaiserisch und gut Freund ansahe, weil sie mit roten Scharpen oder Feldzeichen mundiert[2] waren. Diese packten mich an und wanderten mit mir und meinem Kalesch dem Böhmerwald zu, als wann sie der Teufel selbst gejagt hätte; ich schrei zwar, als wann ich an einer Folter gehangen wäre, aber sie machten mich bald schweigen. Umb Mitternacht kamen sie in eine Meierei[3], die einzig vorm Wald lag, allwo sie anfiengen zu füttern und mit mir umbzugehen, wie zu geschehen pflegt, welches mir zwar der schlechteste[4] Kummer war, aber es wurde ihnen gesegnet wie dem Hund das Gras[5]; dann indem sie ihre viehische Begierden sättigten, wurden sie von einem Hauptmann, der mit dreißig Tragonern eine Konvoi nach Pilsen verrichtet hatte, überfallen und, weil sie durch falsche Feldzeichen ihren Herren verleugnet, alle miteinander niedergemacht. Das Meinige hatten die Mansfeldische noch nicht gepartet[6], und demnach ich kaiserl. Paß hatte und noch nicht 24 Stund in Feindsgewalt gewesen, hielte ich dem Hauptmann vor, daß er mich und das Meinige for keine rechtmäßige Beuten halten und behalten könnte. Er mußte es selbst bekennen; aber gleichwohl, sagte er, wäre ich ihm umb meiner Erlösung willen obligiert, er aber nicht zu verdenken, wann er einen solchen Schatz, den er vom Feind erobert, nicht mehr aus Händen zu lassen gedächte: Seie ich eine verwittibte Rittmeisterin, wie mein Paß auswiese, so seie er ein verwittibter Hauptmann; wann mein Will darbei wäre, so würde die Beut bald geteilt sein, wo nicht, so werde er mich gleichwohl mitnehmen und hernach ererst mit einem jedwedern disputiern, ob die Beute rechtmäßig sei oder nicht. Hiermit ließe er genugsamb scheinen, daß er allbereit den Narrn an mir gefressen, und damit er das Wasser auf seine Mühl richtete[7], sagte er, diesen Vorteil wollte er mir lassen, daß ich erwählen möchte, ob er die Beute unter seine ganze Bursch teilen sollte oder ob ich vermittelst der Ehe sambt dem Meinigen allein sein verbleiben wollte; auf welchen Fall er seine bei sich habende Leute schon bereden wollte, daß ich mit dem Meinigen keine rechtmäßige Beute, sondern ihme allein durch die Verehelichung zuständig worden wäre. Ich antwortete, wann die Wahl bei mir stünde, so begehrte ich deren keins, sondern meine Bitte wäre, sie wollten mich in meine Gewahrsam[8] passieren lassen, und damit fienge ich an zu weinen, als wann mir's gründlicher Ernst gewesen wäre, nach den alten Reimen:

»Die Weiber weinen oft mit Schmerzen,
Aber es geht ihn' nicht von Herzen,

Sie pflegen sich nur so zu stellen,
Sie können weinen, wann sie wöllen.«

Aber es war meine Meinung, ihm hierdurch Ursach zu geben, mich zu trösten, sich selbst aber stärker zu verlieben, sintemal mir wohl bewußt, daß sich die Herzen der Mannsbilder am allermeisten gegen dem weinenden und betrübten Frauenzimmer zu öffnen pflegen. Der Poss' gienge mir auch an, und indem er mir zusprach und mich seiner Liebe mit hohem Beteuren versicherte, gab ich ihm das Jawort, doch mit diesem austrücklichen Beding und Vorbehalt, daß er mich vor der Kopulation im geringsten nicht berühren sollte, welches er beides, verheißen und gehalten, bis wir in die Mansfeldische Befestigungen zu Weidhausen[9] ankamen, welches eben damals dem Herzogen aus Bayern vom Mansfelder selbst per Akkord[10] übergeben worden. Und demnach meines Serviteurs[11] heftige Liebe wegen unsers Hochzeitfests keinen längern Verzug gedulten mochte, ließe er sich mit mir ehelich zusammengeben, ehe er möchte erfahren, wormit die Courage ihr Geld verdienet, welches kein geringe Summa war. Ich war aber kaum einen Monat bei der Armee gewesen, als sich etliche hohe Offizierer fanden, die mich nicht allein zu Wien gekannt, sondern auch gute Kundschaft mit mir gehabt hatten; doch waren sie so bescheiden[12], daß sie weder meine noch ihre Ehr offentlich ausschrieen. Es gieng zwar so ein kleines Gemurmel umb, darüber ich aber gleichwohl keine sonderliche Beschwerung empfand, außer daß ich den Namen »Courage« wiederumb gedulden mußte.
Sonst hatte ich einen guten, gedultigen Mann, welcher sich ebenso hoch über meine gelbe Batzen als wegen meiner Schönheit erfreute. Diese hielte er gesparsamer zusammen, als ich gerne sahe, gleichwie ich aber solches geduldete, also gab er auch zu, daß ich mit Reden und Gebärden gegen jedermann desto freigebiger sein dorfte. Wann ihn dann jemands vexierte[13], daß er mit der Zeit wohl Hörner kriegen dörfte, antwortet' er auch im Scherz, es seie sein geringstes Anliegen; dann ob ihm gleich einer über sein Weib komme, so lasse er's

jedoch bei dem, was ein solcher ausgerichtet, nicht verbleiben, sondern nehme Zeit, dieselbe frembde Arbeit wieder anders zu machen. Er hielte mir jederzeit ein trefflich Pferd, mit schönen Sattel und Zeug mondiert[14], ich ritte nicht wie andere Offiziersfrauen in einem Weibersattel, sondern auf einen Mannssattel, und ob ich gleich überzwergs[15] saße, so führte ich doch Pistolen und einen türkischen Säbel unter dem Schenkel, hatte auch jederzeit einen Stegreif[16] auf der andern Seiten hangen und war im übrigen mit Hosen und einem dünnen, daffeten Röcklein darüber also versehen, daß ich all Augenblick schrittling[17] sitzen und einen jungen Reuterskerl präsentiern konnte. Gab es dann eine Renkontra[18] gegen dem Feinde, so war mir unmüglich, à part[19] nicht mitzumachen; ich sagte vielmalen, eine Dame, die sich gegen einem Mann zu Pferd zu wehren nicht wagen dörfte, sollte auch kein Plumage[20] wie ein Mann tragen. Und demnach mir es bei etlichen Betteltänzen[21] glückte, daß ich Gefangne kriegte, die sich keine Bärnhäuter[22] zu sein dunkten, wurde ich so kühn, wann dergleichen Gefecht angieng, auch einen Karbiner oder, wie man's nennen will, ein Bandelierrohr[23] an die Seite zu hängen und neben dem Truppen[24] auch zweien zu begegnen, und solches desto hartnäckiger, weil ich und mein Pferd vermittelst der Kunst, die ich von vielgedachter meiner Würtin erlernet, so hart war, daß mich keine Kugel öffnen[25] konnte.

So gieng's und so stund es damal mit mir. Ich machte mehr Beuten als mancher geschworner Soldat, welches auch manchen und manche verdroß; aber da fragte ich wenig nach, dann es gab mir Schmalz auf meine Suppen. Die Verträulichkeit meines sonst (gegen meiner Natur zu rechnen) ganz unvermöglichen[26] Manns verursachte, daß ich ihm gleichwohl Farb hielte[27], ob sich gleich Höhere als Hauptleute bei mir anmeldeten, die Stelle seines Leutenants[28] zu vertreten, dann er ließe mir durchaus meinen Willen. Hingegen war ich nichtsdestoweniger bei den Gesellschaften lustig, in den Konversationen frech, aber auch gegen den Feind so heroisch als ein Mann, im Feld so häuslich und zusammenhebig[29] als immer ein Weib, in Beobachtung der Pferde besser als ein guter Stallmeister und in den Quartieren von solcher Prosperität[30], daß mich mein Hauptmann nicht besser hätte wünschen mögen; und wann er mir zuzeiten einzureden[31] Ursach hatte, litte er gerne, daß ich ihm Widerpart hielte und auf meinen Kopf hinausfuhr[32], weil sich unser Geld so sehr dardurch vermehrte, daß wir einen guten Partikul[33] darvon in eine vornehme Stadt zu verwahren geben mußten. Und also lebte ich trefflich glückselig und vergnügt, hätte mir auch meine Tage keinen anderen Handel gewünscht, wann nur mein Mann etwas besser beritten gewest[34] wäre. Aber das Glück oder mein Fatum ließe mich nicht lang in solchem Stand, dann nachdem mir mein Hauptmann bei Wißlach[35] totgeschossen wurde, siehe, so ward ich wiederumb in einer kurzen Zeit zu einer Wittib.

Das VII. Kapitel

Courage schreitet zur dritten Ehe und wird aus einer Hauptmännin eine Leutenantin, trifft's aber nicht so wohl als vorhero, schlägt sich mit ihrem Leutenant umb die Hosen mit Prügeln und gewinnet solche durch ihre tapfere Resolution und Courage; darauf sich ihr Mann unsichtbar macht und sie sitzen läßt.

Mein Mann war kaum kalt und begraben, da hatte ich schon wiederum ein ganz Dutzend Freier und die Wahl darunter, welchen ich aus ihnen nehmen wollte; dann ich war nicht allein schön und jung, sondern hatte auch schöne Pferd und ziemlich viel alt Geld, und ob ich mich gleich vernehmen ließe, daß ich meinem Hauptmann sel. zu Ehren noch ein halb Jahr trauren wollte, so konnte ich jedoch die importune[1] Hummeln, die umb mich wie umb einen fetten Honighafen, der keinen Deckel hat, herumbschwärmten, nicht abtreiben. Der Obriste versprach mir bei dem Regiment Unterhalt und Quartier, bis ich mein Gelegenheit[2] anders anstellte; hingegen ließe ich zween von meinen Knechten Herrendienste versehen[3], und wann es Gelegenheit gab, bei deren ich for meine Person vom Feind etwas zu erschnappen getraute, so sparte ich meine Haut so wenig als ein Soldat, allermaßen ich in dem anmutigen und fast lustigen Treffen bei Wimpfen[4] einen Leutenant und im Nachhauen unweit Heilbrunn[5] einen Kornett[6] samt seiner Standart gefangen bekommen. Meine beide Knechte aber haben bei Plünderung der Wägen ziemliche Beuten an parem Geld gemacht, welche sie unserem Akkord gemäß mit mir teilen mußten. Nach dieser Schlacht bekam ich mehr Liebhaber als zuvor, und demnach ich bei meinem vorigen Mann mehr gute Täge als gute Nächte gehabt, zumalen wider meinen Willen seit seinem Tod gefastet, siehe, so gedachte ich durch meine Wahl alle solche Versaumnus wiedereinzubringen und versprach mich einem Leutenant, der meinem Bedunken nach alle seine Mitbuhler beides, an Schönheit, Jugend, Verstand und Tapferkeit übertraf. Dieser war von Geburt ein Italianer, und zwar schwarz von Haaren, aber weiß von Haut, und in meinen Augen so schön, daß ihn kein Maler hätte schöner malen können. Er bewiese gegen mir fast eine Hundsdemut, bis er mich erlöffelt[7], und da er das Jawort hinweg hatte, stellte er sich so freudenvoll, als wann Gott die ganze Welt beraubt und ihn allein beseligt hätte. Wir wurden in der Pfalz[8] kopuliert und hatten die Ehre, daß der Obriste selbst neben den meinsten[9] hohen Offiziern des Regiments bei der Hochzeit erschienen, die uns alle vergeblich viel Glück in eine langwürige[10] Ehe wünschten.

Dann nachdem wir nach der ersten Nacht bei Aufgang der Sonnen beisammenlagen zu faulenzen und uns mit allerhand liebreichem und freundlichem Gespräch unterhielten, ich auch eben aufzustehen vermeinte, da ruffte mein Leutenant seinem Jungen zu sich vors Bette und befahl ihm, daß er zween starke Prügel herbeibringen sollte. Er war gehorsamb, und ich bildete mir ein, der arme Schelm würde dieselbe am allerersten versuchen müssen, unterließe derowegen nicht, for den Jungen zu bitten, bis er beide Prügel brachte und auf empfangenen Befelch auf den Tisch zum Nachtzeug legte. Als nun der Jung wieder hinweg war, sagte mein Hochzeiter zu mir: »Ja, Liebste, Ihr wißt, daß jedermann darforgehalten und geglaubt, Ihr hättet bei Euers vorigen Manns Lebzeiten die Hosen getragen, welches ihme dann bei ehrlichen Gesellschaften zu nicht geringerer Beschimpfung nachgeredet worden; weil ich dann nicht unbillig zu besorgen habe, Ihr möchtet in solcher Gewohnheit verharren und auch die meinige tragen wollen, welches mir aber zu leiden unmüglich oder doch sonst schwerfallen würde, sehet, so liegen sie dorten auf dem Tische, und jene zween Prügel zu dem Ende darbei, damit wir beide uns, wann Ihr sie etwan wie vor diesem Euch zuschreiben und behaupten wolltet, zuvor darumb schlagen könnten; sintemal mein Schatz selbst erachten kann, daß es besser getan ist, sie fallen gleich jetzt im Anfang dem einen oder andern Teil zu, als wann wir hernach in stehender Ehe täglich darumb kriegen.« Ich antwortete: »Mein Liebster« (und damit gab ich ihm gar einen herzlichen Kuß) »ich hätte vermeint gehabt, diejenige Schlacht, so wir einander for diesmal zu liefern, seie allbereit gehalten; so hab ich auch niemalen in Sinn genommen, Euere Hosen zu prätendieren[11], sondern gleichwie ich wohl weiß, daß das Weib nicht aus des Manns Haupt, aber wohl aus seiner Seiten genommen worden, also habe ich gehofft, meinen Herzliebsten werde solches auch bekannt sein und er werde derowegen sich meines Herkommens erinnern und mich nicht, als wann ich von seinen Fußsohlen genommen worden wäre, for sein Fußtuch, sondern for sein Ehegemahl halten, vornehmblich, wann ich mich auch nicht unterstünde, ihme auf den Kopf zu sitzen, sondern mich an seiner Seiten behülfe, mit demütiger Bitte, er wollte diese abenteurliche Fechtschul einstellen.« »Haha«, sagte er, »das sein die rechte Weibergriffe, die Herrschaft zu sich zu reißen, ehe man's gewahr wird! Aber es muß zuvor darumb gefochten sein, damit ich wisse, wer dem anderen künftig zu gehorsamen schuldig.« Und damit warfe er sich aus meinen Armen wie ein anderer Narr, ich aber sprang aus dem Bette und legte mein Hembd und Schlafhosen an, erwischte den kürzten, aber doch den stärksten Prügel und sagte: »Weil Ihr mir je zu fechten befehlet und dem obsiegenden Teil die Oberherrlichkeit (an die ich doch keine Ansprach[12] zu haben begehrt) über den Uberwundenen zusprecht, so wäre ich wohl närrisch, wann ich eine Gelegenheit aus Händen ließe, etwas zu erhalten, daran ich sonst nicht gedenken dörfte.« Er hingegen auch nicht faul, dann nachdem ich also seiner wartete und er seine Hosen auch angelegt, erdappete er den andern Prügel und gedachte mich beim Kopf zu fassen, umb mir alsdann den Buckel fein mit guter Muße abzuraumen. Aber ich war ihm viel zu geschwind, dann ehe er sich's versahe, hatte er eins am Kopf, davon er hinausdürmelte wie ein Ochs, dem ein Streich worden. Ich raffte die zween Stecken zusammen, sie zur Tür hinauszuwerfen, und da ich solche öffnete, stunden etliche Offizier darvor, die unserem Handel zugehöret und zum Teil durch einen Spalt zugesehen hatten. Diese ließe ich lachen, solang sie mochten, schlug die Tür vor ihnen wieder zu, warf meinen Rock umb mich und brachte meinen Tropfen, »meinen Hochzeiter« wollte ich sagen, mit Wasser aus einem Lavor[13] wieder zu sich selbst, und da ich ihn zum Tische gesetzt und mich ein wenig angekleidet hatte, ließe ich die Offizier vor der Tür auch zu uns ins Zimmer kommen.

Wie wir einander allerseits angesehen, mag jeder bei sich selbst erachten. Ich merkte wohl, daß mein Hochzeiter diese Offizier veranlaßt, daß sie sich umb diese Zeit vorn Zimmer einstellen und seiner Torheit Zeugen sein sollten; dann als sie den Hegel[14] gefoppet, er würde mir die Hosen lassen müssen, hatte er sich gegen ihnen gerühmt, daß er einen sonderbaren Vorteil wisse, welchen er den ersten Morgen ins Werk setzen und mich dardurch so geschmeidig machen wollte, daß ich zittern würde, wann er mich nur scheel[15] ansehe. Aber der gute Mensch hätte es gegen einer anderen als der Courage probiern mögen; gegen mir hat er so viel ausgerichtet, daß er jedermanns Gespött worden, und ich hätte nicht mit ihm gehauset, wann mir's nicht von Höheren befohlen und auferlegt worden wäre. Wie wir aber miteinander gelebet, kann sich jeder leicht einbilden, nämblich wie Hund und Katzen. Als er sich nun anderergestalt an mir nicht revanchiern und auch das Gespött der Leute nicht mehr gedulten konnte, rappelte[16] er einsmals alle meine Parschaft zusammen und gieng mit den dreien besten Pferten und einem Knecht zum Gegenteil[17].

Das VIII. Kapitel

Courage hält sich in einer Okkasion trefflich frisch, haut einem Soldaten den Kopf ab, bekommt einen Major gefangen und erfährt, daß ihr Leutenant als ein meineidiger Uberlaufer gefangen und gehenket worden.

Also wurde ich nun zu einer Halbwittib, welcher Stand viel elender ist, als wann eine gar keinen Mann hat. Etliche argwohneten, ich würde ihm folgen und wir hätten unsere Flucht also miteinander angelegt. Da ich aber den Obristen umb Rat und Befelch fragte, wie ich mich verhalten sollte, sagte er, ich möchte bei dem Regiment verbleiben, so wollte er mich, solang ich mich ehrlich hielte, wie andere Witweiber verpflegen lassen, und damit benahme ich jedermann den gedachten[1] Argwohn. Ich mußte mich ziemlich schmal behelfen, weil mein Parschaft ausgeflogen und meine stattliche Soldatenpferd fort waren, auf denen ich auch manche stattliche Beut gemacht; doch ließe ich meine Armut nicht merken, damit mir keine Verachtung zuwüchse. Meine beide Knechte, die Herrndienste versahen, hatte ich noch sambt einen Jungen und noch etlichen Schindmähren oder Pagagepferden; davon und von meiner Männer Bagage versilberte ich, was Geld galte, und machte mich wieder trefflich beritten. Ich dorfte zwar als ein Weib auf keine Partei reiten[2], aber unter den Fourragieren[3] fande sich nicht meinesgleichen. Ich wünschte mir oft wieder eine Battaglia[4] wie vor Wimpfen[5], aber was half's, ich mußte der Zeit erwarten, weil man mir zu Gefallen doch keine Schlacht gehalten, wann ich's gleich begehrt hätte. Damit ich aber gleichwohl auch wiederumb zu Geld kommen möchte, dessen es auf dem Fourragieren selten setzte, ließe ich (beides, umb solches zu verdienen und meinen Ausreißer umb seine Untreu zu bezahlen) mich von denen treffen[6], die spendierten. Und also brachte ich mich durch und dingte mir noch einen starken Jungen zum Knecht, der mir mußte helfen stehlen, wann die andere beide mußten wachen. Das trieb ich so fort, bis wir den Braunschweiger über den Main jagten[7] und viel der Seinigen darin ersäuften, in welchem Treffen ich mich unter die Unserige mischte und in meines Obristen Gegenwart dergestalt erzeigte, daß er solche Tapferkeit von keinem Mannsbild geglaubt hätte; dann ich nahme in der Caracole[8] einen Major vom Gegenteil vor seinem Truppen hinweg, als er die Charge reduplieren[9] wollte, und als ihn einer von den Seinigen zu erretten gedachte und mir zu solchem Ende eine Pistol an den Kopf losbrennete, daß mir Hut und Federn darvonstobe, bezahlte ich ihn dergestalt mit meinem Säbel, daß er noch etliche Schritte ohne Kopf mit mir ritte, welches beides, verwunderlich und abscheulich anzusehen war. Nachdem nun dieselbe Eskadron[10] getrennet und in die Flucht gewendet worden, mir auch der Major einen ziemlichen Stumpen[11] Goldsorten sambt einer güldenen Ketten und kostbarlichen Ring for sein Leben gegeben hatte, ließe ich meinen Jungen das Pferd mit ihm verdauschen und lieferte ihn den Unserigen in Sicherheit; begab mich darauf an die zerbrochne Brucken, allwo es in dem Wasser an ein erbärmlichs Ersaufen und auf dem Land an ein grausambs Niedermachen gieng; und alldieweil noch ein jeder bei seinem Truppen bleiben mußte, soviel immer möglich, packte ich eine Gutsche mit sechs schönen Präunen[12] an, auf welcher weder Geld noch lebendige Personen, aber wohl zwo Kisten mit kostbaren Kleidern und weißen Zeug sich befanden. Ich brachte sie mit meines Knechts oder Jungen Hülf dahin, wo ich den Major gelassen hatte, welcher sich schier zu Tod kränkte, daß er von einem solchen jungen Weib gefangen worden. Da er aber sahe, daß sowohl in meinen Hosensäcken als in den Halftern Pistolen staken, die ich sambt meinem Karbiner dort wieder lude und fertigmachte, auch hörete, was ich hiebevor bei Wimpfen ausgerichtet, gab er sich wieder umb etwas zufrieden und sagte, der Teufel möchte mit so einer Hexen etwas zu schaffen haben. Ich gieng mit meinem Jungen (den ich ebenso fest als mich und mein Pferd gemacht hatte) hin, noch mehr Beuten zu erschnappen, fande aber den Obristleutenant von unserem Regiment dort unter seinem Pferde liegen, der mich kannte und umb Hülf anschriee. Ich packte ihn auf meines Jungen Pferd und führte ihn zu den Unserigen in meine erst eroberte Gutsche, allda er meinem gefangnen Major Gesellschaft leisten mußte. Es ist nicht zu glauben, wie ich nach dieser Schlacht sowohl von meinen Neidern als meinen Gönnern gelobt wurde; beide Teil sagten, ich wäre der Teufel selber; und eben damals war mein höchster Wunsch, daß ich nur kein Weibsbild wäre; aber was war's drumb? Es war null und verhimpelt[13]. Ich gedachte oft, mich for einen Hermaphroditen[14] auszugeben, ob ich vielleicht dardurch erlangen möchte, offentlich Hosen zu tragen und for einen jungen Kerl zu passiern; hergegen hatte ich aber durch meine unmäßige Begierden so viel Kerl empfinden lassen, wer ich wäre, daß ich das Herz nicht hatte, ins Werk zu setzen, was ich gerne gewollt; dann so viel Zeugen würden sonst ein anders von mir gesagt und verursacht haben, daß es dahin kommen wäre, daß mich beides, Medici und Hebammen beschauen müßten; behalfe mich derowegen, wie ich konnte, und wann man mir viel verweisen wollte, antwortet ich, es wären wohl ehe Amazones[15] gewesen, die so ritterlich als die Männer gegen ihren Feinden gefochten hätten. Damit ich nun des Obristen Gnad erhalten und von ihme wider meine Mißgönstige beschützt werden möchte, präsentierte ich ihm neben dem Gefangnen auch meine Kutsche mitsambt den Pferden, darfor er mir 200 Reichstaler verehrete, welches Geld ich sambt dem, was ich sonst auf ein neues erschnappt und sonst verdienet hatte, abermal in einer namhaften Stadt verwahrte.

Indem wir nun Mannheim[16] eingenommen und Frankenthal[17] noch belagert hielten und also den Meister in der Pfalz spielten, siehe, da schlugen Corduba[18] und der von Anhalt[19] abermal den Braunschweiger und Mansfelder bei Floreack[20], in welchem Treffen mein ausgerissener Mann, der Leutenant, gefangen, von den Unserigen erkannt und als ein meineidiger Uberläufer mit seinem allerbesten Hals an einen Baum geknüpft worden; wodurch ich zwar wieder von meinem Mann erlöst und zu einer Wittib ward, ich bekam aber so ein Haufen Feinde, die da sagten: »Die Strahlhex[21] hat den armen Teufel umbs Leben gebracht«, daß ich ihm das Leben gern länger gönnen und mich noch ein Weil mit ihm gedulden mögen, bis er gleichwohl anderwärts ins Gras gebissen und einen ehrlichern Tod genommen, wann es nur hätte sein können.

Das IX. Kapitel

Courage quittiert den Krieg, nachdem ihr kein Stern mehr leuchten will[1] und sie fast von jedermann for einen Spott gehalten wird.

Also kam es nach und nach dahin, daß ich mich je länger, je mehr leiden mußte[2]; meine Knechte wurden mir verführt, weil zu ihnen gesagt wurde: »Pfui Teufel, wie möcht' ihr Kerl einer solchen Vettel dienen?« Ich hoffte wieder einen Mann zu bekommen, aber ein jeder sagte: »Nimb du sie, ich begehr' ihrer nicht.« Was ehrlich gesinnet war, schüttelt' den Kopf über mich, und also täten auch beinahe alle Offizier; was aber geringe Leut und schlechte Potentaten[3] waren, die dorften sich nicht bei mir anmelden, so hätte ich ohnedas auch keinen aus denselbigen angesehen. Ich empfande zwar nicht am Hals wie mein Mann, was unser närrisch Fechten ausgerichtet; aber doch hatte ich länger daran, als er am Henken, zu verdauen. Ich wäre gerne in eine andere Haut geschloffen[4], aber beides, die Gewohnheit und meine tägliche Gesellschaften wollten mir keine Besserung zulassen, wie dann die allermeinste Leute im Krieg viel eher ärger als frömmer zu werden pflegen. Ich butzte mich wieder und richtete dem einen und andern allerhand Netz und Strick, ob ich etwan diesen oder jenen anseilen und ins Garn bringen möchte, aber es half nichts, ich war schon allbereit viel zu tief im Geschrei; man kannte die Courage schon allerdings bei der ganzen Armee, und wo ich bei den Regimentern vorüberritte, wurde mir meine Ehre durch viel tausend Stimmen offentlich ausgerufen, also daß ich mich schier wie ein Nachteule bei Tage nicht mehr dorfte sehen lassen. Im Marschieren äußerten[5] mich ehrliche Weiber; das Lumpengesindel beim Troß schurigelte[6] mich sonst; und was etwan for ledige Offizier wegen ihrer Nachtweid mich gern geschützt hätten, mußten bei den Regimentern bleiben, bei welchen mir aber durch ihr schändlichs Geschrei mit der allerschärfsten Laugen aufgegossen ward; also daß ich wohl sahe, daß meine Sach so in die Länge kein Gut mehr tun werde. Etliche Offizier hatte ich noch zu Freunden, die aber nicht meinen, sondern ihren Nutzen suchten; teils suchten ihre Wollüste, teils mein Geld, andere meine schönen Pferd, sie alle aber machten mir Ungelegenheit mit Schmarotzen und war doch keiner, der mich zu heuraten begehrte, entweder daß sie sich meiner schämten oder daß sie mir eine unglückliche Eigenschaft zuschrieben, die alle meinen Männern schädlich wäre, oder aber daß sie sich sonst, ich weiß nicht, warumb, vor mir förchteten.

Derowegen beschlosse ich mit mir selbsten, nicht nur dies Regiment, sondern auch die Armada, ja den ganzen Krieg zu quittiern, und konnte es auch umb so viel desto leichter ins Werk setzen, weil die hohe Offizier meiner vorlängst gern los gewesen wären; ja ich kann mich auch nicht überreden lassen, zu glauben, daß sich unter andern ehrlichen Leuten viel gefunden haben, die umb meine Hinfahrt viel geweinet, es seien dann etliche wenige junge Schnapper[7] ledigs Stands unter den mittelmäßigen Offiziern gewest, denen ich zuzeiten etwan ein Paar Schlafhosen gewaschen. Der Obriste hatte den Ruhm nicht gern, daß seine schöne Gutsche durch die Courage vom Feind erobert und ihm verehrt worden sein sollte; daß ich den verwundeten Obristleutenant aus der Battaglia und Todsgefahr errettet und zu den Unserigen geführt, darvon schriebe er ihm so wenig Ehr zu, daß er mir meiner Mühe nicht allein mit »Potz Velten!«[8] dankte, sondern auch, wann er mich sahe, mit griesgramenden Mienen errötet' und mir, wie leicht zu gedenken, lauter Glück und Heil an den Hals wünschte. Das Frauenzimmer oder die Offiziersweiber hasseten mich, weil ich weit schöner war als eine unter dem ganzen Regiment, zumalen teils ihren Männern auch besser gefiele, und beides, hohe und niedere Soldaten waren mir feind, umb daß ich trutz einem unter ihnen allen das Herz hatte, etwas zu unterstehen und ins Werk zu setzen, das die größte Tapferkeit und verwegneste Hazarde[9] erfordert' und darüber sonst manchen das kalte Wehe angestoßen hätte[10].

Gleichwie ich nun leicht merkte, daß ich viel mehr Feinde als Freunde hatte, also konnte ich mir auch wohl einbilden, es würde ein jedwedere von meiner widerwärtigen[11] Gattung gar nicht unterlassen, mir auf ihre sonderbare[12] Manier eins anzumachen, wann sich nur die Gelegenheit darzu ereignet'. »O Courage«, sagte ich zu mir selbst, »wie willst du so vielen unterschiedlichen Feinden entgehen können, von denen vielleicht ein jeder seinen besonderen Anschlag auf dich hat? Wann du sonst nichts hättest als deine schöne Pferde, deine schöne Kleider, dein schönes Gewehr und den Glauben, daß du viel Geld bei dir habest, so wären es Feinde genug, einige Kerl anzuhetzen, dich heimlich hinzurichten[13]. Wie, wann dich dergleichen Kerl ermordeten oder in einer Okkasion[14] niedermachten? Was würde wohl für ein Hahn darnach krähen? Wer würde deinen Tod rächen? Was? Solltest du auch wohl deinen eignen Knechten trauen dörfen?« Mit dergleichen Sorgen quälte ich mich selbst und fragte mich auch selbst, was Rats, weil ich sonst niemand hatte, der's

treulich mit mir meinete; und eben deswegen mußte ich mir auch selbst folgen.
Demnach sprach ich den Obristen umb einen Paß an in die nächste Reichsstadt, die mir eben an der Hand stunde[15] und wohlgelegen war, mich von dem Kriegsvolk zu retiriern. Den erlangte ich nicht allein ohne große Mühe, sondern noch anstatt eines Abschieds einen Urkund, daß ich einem Hauptmann von Regiment (dann von meinem letzten Mann begehrte ich keinen Ruhm zu haben) ehrlich verheuratet gewesen, und als ich solchen vorm Feind verloren, mich eine Zeitlang bei dem Regiment aufgehalten und in solcher währenden Zeit also wohl, fromm und ehrlich gehalten, wie einer rechtschaffnen, ehr- und tugendliebenden Damen gebühre und wohlanständig seie, mich derowegen jedermänniglichen umb solchen meines untadelhaften, tugendlichen Wandels willen bestens rekommendierend[16]; und solche fette Lügen wurden mit eigenhändiger Subskription[17] und beigedrucktem Sigil in bester Form bekräftigt. Solches lasse sich aber niemand wundern, dann je schlimmer sich einer hält und je lieber man eines gerne los wäre, je trefflicher wird der Abschied sein, den man einem solchen mit auf den Weg gibt, sonderlich wann derselbe zugleich sein Lohn sein muß. Einen Knecht und ein Pferd ließe ich dem Obristen unter seiner Compagnie, welcher trutz einem Offizier mundiert war[18], umb meine Dankbarkeit darmit zu bezeugen, hingegen brachte ich einen Knecht, einen Jungen, eine Magd, sechs schöne Pferd (darunter das eine 100 Dukaten wert gewesen) sambt einem wohlgespickten Wagen darvon und kann ich bei meinem großen Gewissen (etliche nennen es ein weites Gewissen) nicht sagen, mit welcher Faust ich alle diese Sachen erobert und zuwegen gebracht habe.
Da ich nun mich und das Meinige in bemelde Stadt in Sicherheit gebracht hatte, versilberte ich meine Pferd und gab sonst alles hinweg, was Geld golte und ich nicht gar nötig brauchte; mein Gesind schaffte ich auch miteinander ab, einen geringen Kosten zu haben. Gleichwie mir's aber zu Wien war gangen, also gieng mir's auch hier, ich konnte abermal

des Namens »Courage« nicht loswerden, wiewohl ich ihn unter allen meinen Sachen am allerwohlfeilsten hinweggeben hätte; dann meine alte oder vielmehr die junge Kunden von der Armee ritten mir zu Gefallen in die Stadt und fragten mir mit solchem Namen nach, welchen auch die Kinder auf der Gassen ehender als das Vaterunser lerneten, und eben darumb wiese ich meinen Galanen[19] die Feigen[20]. Als aber hingegen diese den Stadtleuten erzehlten, was ich for ein Taus-Es[21] wäre, so erwiese ich hinwiederumb denselben ein anders mit Brief und Siegel und beredet sie, die Offizier gäben keiner anderen Ursachen halber solche lose Stück von mir aus, als weil ich nicht beschaffen sein wollte, wie sie mich gerne hätten. Und dergestalt bisse ich mich ziemlich heraus und brachte vermittelst meiner guten schriftlichen Zeugnis zuwegen, daß mich die Stadt, bis ich meine Gelegenheit anders machen konnte, umb ein geringes Schirmgeld in ihren Schutz nahm; allwo ich mich dann wider meinen Willen gar ehrbarlich, fromm, still und eingezogen hielte und meiner Schönheit, die je länger, je mehr zunahm, aufs beste pflegte, der Hoffnung, mit der Zeit wiederumb einen wackern Mann zu bekommen.

Das X. Kapitel

Courage erfährt, wer ihre Eltern gewesen, und bekommt wieder einen andern Mann.

Aber ich hätte lang harren müssen, bis mir etwas Rechts angebissen, dann die gute Geschlechter[1] verblieben bei ihresgleichen, und was sonst reich war, konnte auch sonst reiche und schöne und vornehmlich (welches man damals noch in etwas beobachtete) auch ehrliche Jungfrauen zu Weibern haben, also daß sie nicht bedorften, sich an eine verlassene Soldatenhur zu henken; hingegen waren etliche, die entweder Bankerott gemacht oder bald zu machen gedachten, die wollten zwar mein Geld, ich wollte aber darum sie nicht. Die Handwerksleut waren mir ohnedas zu schlecht[2], und damit blieb ich ein ganz Jahr sitzen, welches mir länger zu gedulten gar schwer und ganz wider die Natur war, sintemal ich von der guten Sache, die ich genosse, ganz kützelig[3] wurde; dann ich brauchte mein Geld, so ich hie und dort in den großen Städten hatte, den Kauf- und Wechselherren zuzeiten beizuschießen, daraus ich so ein ehrlich Gewinnchen erhielte, daß ich ziemliche gute Tag davon haben konnte und nichts von der Hauptsumma verzehren dorfte. Weilen es mir dann an einem andern Ort mangelte und meine schwache Beine diese gute Sache nicht mehr ertragen konnten oder wollten, machte ich mein Geld per Wechsel auf Prag, mich selbst aber mit etlichen Kaufherren hernach und suchte Zuflucht bei meiner Kostfrauen zu Bragoditz, ob mir vielleicht alldorten ein besser Glück anstehen möchte. Dieselbe fande ich gar arm, weder[4] ich sie verlassen, dann der Krieg hatte sie nit allein sehr verderbt, sondern sie hatte auch allbereit vor dem Krieg mit mir und ich nit mit ihr gezehret. Sie freuete sich meiner Ankunft gar sehr, vornehmlich als sie sahe, daß ich nicht mit leerer Hand angestochen kam. Ihr erstes Willkommheißen aber war doch lauter Weinen; und indem sie mich küßte, nennete sie mich zugleich ein unglückseliges Fräulein, welches seinem Herkommen gemäß schwerlich würde sein Leben und Stand führen mögen, mit fernerem Anhang, daß sie mir fürderhin nit mehr wie vor diesem zu helfen, zu raten und vorzustehen wisse, weil meine besten Freund und Verwandten entweder verjagt oder gar tot wären; und überdas, sagte sie, würde ich mich schwerlich vor den Kaiserl. dörfen sehen lassen, wann sie meinen Ursprung wissen wollten; und damit heulete sie immerfort, also daß ich mich in ihre Rede nicht richten noch begreifen konnte, ob es gehauen oder gestochen, gebrannt oder gebohrt wäre. Da ich sie aber mit Essen und Trinken (dann die gute Tröpfin mußte den jämmerlichen Schmalhansen in ihrem Quartier herbergen) wiederum gelabt und also zurechtgebracht, daß sie schier ein Tummel[5] hatte, erzählte sie mir mein Herkom-

men gar offenherzig und sagte, daß mein natürlicher Vater[6] ein Graf und vor wenig Jahren der gewaltigste Herr im ganzen Königreich gewesen, nunmehr aber wegen seiner Rebellion wider den Kaiser des Lands vertrieben worden und – wie die Zeitungen[7] mitgebracht – jetzunder an der türkischen Porten[8] sei, allda er auch sogar sein christliche Religion in die türkische verändert haben solle. Meine Mutter, sagte sie, sei zwar von ehrlichen Geschlecht geboren, aber ebenso arm als schön gewesen. Sie hätte sich bei des gedachten Grafen Gemahlin for eine Staatsjungfer[9] aufgehalten, und indem sie der Gräfin aufgewartet, wäre der Graf selbst ihr Leibeigener worden und hätte solche Dienste getrieben, bis er sie auf einen adelichen Sitz verschafft, da sie mit mir niederkommen; und weilen eben damals sie, meine Kostfrau, auch einen jungen Sohn entwöhnet, dem sie mit desselbigen Schlosses Edelmann erzeugt, hätte sie meine Säugamme werden und mich folgends zu Bragoditz adelig auferziehen müssen, worzu dann beides, Vater und Mutter genugsame Mittel und Unterhaltung hergeben. »Ihr seid zwar, liebes Fräulein«, sagte sie ferner, »einem tapferen Edelmann von Euerem Vater versprochen worden, derselbe ist aber bei Eroberung Pilsen gefangen und als ein Meineidiger neben andern mehr durch die Kaiserlichen aufgehenkt worden.«
Also erfuhr ich, was ich vorlängst zu wissen gewünscht, und wünschte doch nunmehr, daß ich's niemal erfahren hätte, sintemal ich so schlechten Nutzen von meiner hohen Geburt zu hoffen; und weil ich keinen andern und bessern Rat wußte, so machte ich einen Akkord[10] mit meiner Säugamm, daß sie hinfort meine Mutter und ich ihre Tochter sein sollte. Sie war viel schlauer als ich, derowegen zog ich auch auf ihrem Rat mit ihr von Bragoditz auf Prag; nicht allein zwar, daß wir den Bekannten aus den Augen kämen, sondern zu sehen, ob uns vielleicht alldorten ein anders Glück anscheinen möchte. Im übrigen so waren wir recht foreinander; nicht daß sie hätte kuppeln und ich huren sollen, sondern weil sie eine Ernährerin, ich aber eine getreue Person bedorfte (gleichwie diese eine gewesen), deren ich beides,

Ehr und Gut vertrauen konnte. Ich hatte ohne Kleider und Geschmuck bei 3000 Reichstaler bar Geld beieinander und dannenhero damals keine Ursach, durch schändlichen Gewinn meine Nahrung zu suchen. Meine neue Mutter kleidete ich wie eine ehrbare alte Matron, hielte sie selbst in großen Ehren und erzeigte ihr vor den Leuten allen Gehorsam; wir gaben uns for Leute aus, die auf der teutschen Grenz durch den Krieg vertrieben worden wären, suchten unseren Gewinn mit Nähen, auch Gold-, Silber- und Seidensticken, und hielten uns im übrigen gar still und eingezogen, meine Batzen genau zusammenhaltend, weil man solche zu vertun pflegt, ehe man's vermeint, und deren keine andere kann gewinnen, wann man gern wollte.
Nun, dies wäre ein feines Leben gewest, das wir führten; ja gleichsam ein klösterliches, wann uns nur die Beständigkeit nicht abgangen wäre. Ich bekam bald Buhler; etliche suchten mich wie das Frauenzimmer im Bordelt, und andere Tropfen, die mir meine Ehre nit zu bezahlen getrauten, sagten mir viel vom Heiraten; beide Teil aber wollten mich bereden, sie würden durch die grausame Liebe, die sie zu mir trügen, zu ihren Begierden angesporet[11]. Ich hätte aber keinem geglaubt, wann ich selbst ein keusche Ader in mir gehabt; es gieng halt nach dem alten Sprichwort: »Gleich und gleich gesellt sich gern«, dann gleich wie man sagt: »Das Stroh in den Schuhen, ein Spindel im Sack und eine Hur im Haus läßt sich nicht verbergen«, also wurde ich auch gleich bekannt und wegen meiner Schönheit überall berühmt. Dannenhero bekamen wir viel zu stricken und unter anderem einem Hauptmann ein Wehrgehenk, welcher vorgabe, daß er vor Liebe in den letzten Zügen läge. Hingegen wußte ich ihm von der Keuschheit so ein Haufen aufzuschneiden, daß er sich stellte, als wollte er gar verzweifeln; dann ich ermaße die Beschaffenheit und das Vermögen meiner Kunden nach der Regul meines Wirt »Zum guldenen Löwen« zu N. Dieser sagte: »Wann mir ein Gast kommt und gar zu unmäßig viel höflicher Komplimenten macht, so ist ein gewisse Anzeigung, daß er entweder nicht viel zum besten oder sonst nicht

im Sinn hat, viel zu vergeben[12]; kommt aber einer mit Trutzen und nimmt die Einkehr bei mir gleichsam mit Bochen und einer herrischen Botmäßigkeit[13], so gedenke ich: ›Holla, diesem Kerl ist der Beutel geschwollen, dem mußt du schrepfen!‹ Also traktiere ich die Höfliche mit Gegenhöflichkeit, damit sie mich und meine Herberg anderwärts loben, die Schnarcher[14] aber mit allem, das sie begehren, damit ich Ursach habe, ihren Beutel rechtschaffen zu aktionieren[15].« Indem ich nun diesem meinem Hauptmann hielte, wie dieser Wirt seine höfliche Gäst, als' hielte er mich hingegen, wo nicht gar for ein halben Engel, jedoch wenigst for ein Muster und Ebenbild der Keuschheit, ja schier for die Frommkeit selbsten. In Summa, er kam so weit, daß er von der Verehlichung mit mir anfieng zu schwetzen und ließe auch nicht nach, bis er das Jawort erhielte. Die Heuratspunkten waren diese, daß ich ihm 1000 Reichstaler Bargeld zubringen, er aber hingegen mich in Teutschland zu seinem Heimat um dieselbige versichern sollte, damit, wann er vor mir ohne Erben sterben sollte, ich deren wieder habhaft werden könnte; die übrige 2000 Reichstaler, die ich noch hätte, sollten an ein gewiß Ort auf Zins gelegt und in stehender Ehe die Zins von meinem Hauptmann genossen werden, das Kapital aber ohnverändert bleiben, bis wir Erben hätten; auch sollte ich Macht haben, wann ich ohne Erben sterben sollte, mein ganz Vermögen, darunter auch die 1000 Reichstaler verstanden, die ich ihm zugebracht, hin zu vertestieren[16], wohin ich wollte, etc. Demnach wurde die Hochzeit gehalten, und als wir vermeinten, zu Prag beieinander, solang der Krieg währete, in der Garnison gleichwie im Frieden in Ruhe zu leben, siehe, da kam Ordre[17], daß wir nach Holstein in den Dänemärkischen Krieg marschiern müßten.

Das XI. Kapitel

Nachdem Courage anfähet, sich fromm zu halten, wird sie wieder unversehens zu einer Wittib.

Ich rüstete mich trefflich ins Feld, weil ich schon besser als mein Hauptmann wußte, was darzugehörete; und indem ich mich ängstigte, daß ich wieder dahin mußte, wo man die Courage kennete, erzählte ich meinem Mann mein ganzes geführtes Leben, bis auf die Hurenstücke, die ich hie und da begangen, und was sich mit mir und dem Rittmeister zugetragen; vom Namen »Courage« überredet ich ihn, daß er mir wegen meiner Tapferkeit zugewachsen wäre, wie dann sonst auch jedermann von mir glaubte. Mit dieser Erzählung kam ich denjenigen vor, die mir sonst etwan bei ihm einen bösen Rauch gemacht[1], wann sie ihm vielleicht solches und noch mehr darzu, ja mehr als mir lieb gewesen, erzählet hätten. Und gleichwie er mir damal schwerlich glaubte, wie ich mich in offenen Schlachten gegen dem Feind gehalten, bis es folgends andere Leut bei der Armee bezeugten, also glaubte er nachgehends auch andern Leuten nicht, wann sie ihm von meinen schlimmen Stücken aufschnitten, weil ich solche leugnete. Sonst war er in allen seinen Handlungen sehr bedächtig und vernünftig, ansehenlich von Person und einer von den Beherzten, also daß ich mich selbst oft verwunderte, warum er mich genommen, da ihm doch billicher etwas Ehrliches gebührt hätte.

Meine Mutter nahm ich mit mir for eine Haushalterin und Köchin, weil sie nit zuruckbleiben wollt. Ich versahe unseren Bagagewagen mit allem dem, was man ersinnen hätte mögen, das uns im Feld sollt nötig gewesen sein, und machte eine solche Anstalt unter dem Gesind, daß weder mein Mann selbst drum sorgen, noch einen Hofmeister darzu bedorfte. Mich selbst aber mundierte ich wieder wie vor diesem mit Pferd, Gewehr, Sattel und Zeug, und also staffiert kamen wir bei den Häusern Gleichen[2] zu der Tillyschen Armee, allwo ich bald erkannt und von den mehristen Spottvögeln

zusammengeschrieen wurde: »Lustig, ihr Brüder, wir haben ein gut Omen[3], künftige Schlacht zu gewinnen!« »Warum?« »Darum, die Courage ist wieder bei uns ankommen.« Und zwar diese Lappen[4] redeten nicht übel von der Sach, dann das Volk, mit dem ich kam, war ein Sukkurs[5] von drei Regimentern zu Pferd und zweien zu Fuß, welches nicht zu verachten, sondern der Armada Courage genug mitgebracht, wann ich gleich nicht dabeigewesen wäre.
Meines Behalts[6] dem zweiten Tag nach dieser glücklichen Konjunktion gerieten die Unserige dem König von Dänemark bei Lutter[7] in die Haar, allwo ich fürwahr nicht bei der Bagage bleiben mochte, sondern, als des Feinds erste Hitze verloschen und die Unserige das Treffen wieder tapfer erneuert, mich mitten ins Geträng mischte, wo es am allerdicksten war. Ich mochte keine geringe Kerl gefangennehmen, sondern wollte meinem Mann gleich in der erste[8] weisen, daß mein Zunamen an mir nicht übel angelegt wäre, noch er sich dessen zu schämen hätte. Machte derowegen meinen edlen Hengst, der seinesgleichen in Prag nicht gehabt, mit dem Säbel Platz, bis ich einen Rittmeister von vornehmen dänischen Geschlecht beim Kopf kriegte und aus dem Gedräng zu meinem Bagagewagen brachte. Ich und mein Pferd bekamen zwar starke Püff, wir ließen aber keinen Tropfen Blut auf der Walstatt, sondern trugen nur etliche Mäler und Beulen darvon; weilen ich dann sahe, daß es so glücklich abgieng, machte ich mein Gewehr wieder fertig, jagte hin und holete noch einen Quartiermeister samt einem gemeinen Reuter, welche nicht ehe gewahr wurden, daß ich ein Weibsbild war, als bis ich sie zu obengedachten Rittmeister und meinen Leuten brachte. Ich besuchte[9] keinen von ihnen, weil jeder selbst sein Geld und Geldswert herausgab, was er hatte; vornehmlich aber ließe ich den Rittmeister fast[10] höflich traktieren und nit anrühren, viel weniger gar ausziehen; aber als ich mich mit Fleiß[11] ein wenig beiseits machte, verdauschten meine Knecht mit den andern beiden ihre Kleider, weil sie trefflich wohl mit Köllern[12] mondiert

waren. Ich hätte es zum drittenmal gewagt und fortgeschmiedet, dieweil das Eisen weich gewesen und die Schlacht gewähret, so mochte ich aber meinem guten Pferd nicht zuviel zumuten. Indessen bekam mein Mann auch etwas wenigs an Beuten von denen, die sich aufs Schloß Lutter retiriert und ewiglich auf Gnad und Ungnad ergeben hatten, also daß wir beide in und nach dieser Schlacht in allem und allem auf tausend Gulden Wert vom Feind erobert, welches wir gleich nach dem Treffen zugemacht[13] und ohnverweilt per Wechsel nacher Prag zu meinen alldortigen 2000 Reichstalern überschafft, weil wir dessen im Feld nicht bedörftig und täglich hofften, noch mehr Beuten zu machen.
Ich und mein Mann bekamen einander je länger, je lieber und schätzte sich als[14] das eine glückselig, weil es das andere zum Ehegemahl hatte; und wann wir uns nit beide geschämt hätten, so glaub ich, ich wäre Tag und Nacht in den Laufgräben, auf der Wacht und in allen Okkasionen niemal von seiner Seiten kommen. Wir vermachten einander alles unser Vermögen, also daß das Letztlebende (wir bekämen gleich Erben oder nicht) das Verstorbene erben, meine Säugamme oder Mutter aber gleichwohl auch ernähren sollte, solang sie lebte, als welche uns großen Fleiß und Treu bezeugte. Solche Vermächtnus hinterlegten wir, weil wir's in duplo[15] ausgefertigt, eine zu Prag hinter dem Senat und die ander in meines Manns Heimat hin, Hochteutschland[16], so damals noch in seinem besten Flor[17] stunde und von dem Kriegswesen das geringste nicht erlitten.
Nach diesem lutterischem Treffen nahmen wir Steinbruck, Verden, Langenwedel, Rotenburg, Ottersberg und Hoya[18] ein, in welchem letztgenannten Schloß Hoya mein Mann mit etlichen kommandierten Völkern ohne Bagage mußte liegen verbleiben; gleichwie mich aber sonst nirgends keine Gefahr von meinem Mann behalten[19] konnte, also wollte ich ihn auch auf diesem Schloß nit allein lassen aus Furcht, die Läuse möchten mir ihn fressen, weil keine Weibsbilder dawaren, so die Soldateska gesäubert hätten. Unsere Bagage aber verblieb bei dem Regiment, welches hingieng, die Winterquartier

zu genießen, bei welcher ich auch verbleiben und solchen Genuß hätte einziehen[20] sollen.
Sobald nun solches bei angehendem Winter geschehen und Tilly dergestalt seine Völker zerteilet, siehe, da kam der König in[21] Dänemark mit einer Armee und wollte im Winter wiedergewinnen, was er im Sommer verloren. Er stellte sich, Verden einzunehmen, weil ihm aber die Nuß zu hart zu beißen war, ließe er selbige Stadt liegen und seinem Zorn am Schloß Hoya aus, welches er in 7 Tagen mit mehr als tausend Kanonschüssen durchlöchert', darunter auch einer meinen lieben Mann traf und mich zu einer unglückseligen Wittib machte.

Das XII. Kapitel

Der Courage wird ihr treffliche Courage[1] auch trefflich eingetränkt.

Als nun die Unserige das Schloß aus Forcht, es möchte einfallen und uns alle bedecken, dem König übergaben und mitherauszogen, ich auch also ganz betrübt und weinend mitmarschierte, sahe mich zu allem Unglück derjenige Major, den ich hiebevor von den Braunschweigischen bei dem Mainstrom gefangenbekommen. Er erkundiget' alsobalden die Gewißheit meiner Person von den Unserigen, und als er auch meinen damaligen Stand erfuhre, daß ich nämlich allererst zu einer Wittib worden wäre, da nahme er die Gelegenheit in acht und zwackte mich ohnversehens von den Truppen hinweg. »Du Bluthex«, sagte er, »jetzt will ich dir den Spott wiedervergelten, den du mir vor Jahren bei Höchst[2] bewiesen hast, und dich lehren, daß du hinfort weder Wehr noch Waffen mehr führen, noch dich weiters unterstehen sollest, einen Kavalier gefangenzunehmen.« Er sahe so gräßlich aus, daß ich mich auch nur vor seinem Anblick entsetzte; wäre ich aber auf meinem Rappen gesessen und hätte ihn allein vür mir im Feld gehabt, so hätte ich getraut, ihn

eine andere Sprache reden zu lernen. Indessen führte er mich mitten unter einen Truppen Reuter und gab mich den Fahnenjunker in Verwahrung, welcher alles, was ich mit dem Obristleutenant (dann er hatte seither diese Stell bekommen) zu tun hatte, von mir erkundigt'; der erzählte mir hingegen, daß er beinahe damals, als ich ihn gefangenbekommen, schier den Kopf oder wenigst sein Majorstell verloren hätte, um daß er sich von einem Weibsbild vor der Brigaden hinwegfangen lassen und dardurch dem Truppen eine Unordnung und gänzliche Zertrennung verursacht, wofern er nicht sich damit ausgeredet, daß ihn diejenige, so ihn hinweggenommen, durch Zauberei verblendet; zuletzt hätte er doch aus Scham resigniert und dänische Dienst angenommen.
Die folgende Nacht logierten wir in einem Quartier, darin wenig zum besten war, allwo mich der Obristleut. zwang, zu Revanche seiner Schmach, wie er's nennete, seine viehische Begierden zu vollbringen, worbei doch (pfui der schändlichen Torheit) weder Lust noch Freud sein konnte, indem er mir anstatt der Küss', ob ich mich gleich nit sonderlich sperret, nur dichte Ohrfeigen gab; den andern Tag rissen sie unversehens aus wie die flüchtige Hasen, hinter denen die Windhund herstreichen, also daß ich mir nichts anders einbilden konnte, als daß sie der Tilly jagte, wiewohl sie nur flohen aus Forcht, gejagt zu werden. Die zweite Nacht fanden sie Quartier, da der Bauer den Tisch deckte, da lude mein tapferer Held von Offiziern seines Gelichters zu Gast, die sich durch mich mit ihm verschwägern mußten, also daß meine sonst unersättliche fleischliche Begierden dermalen genugsam kontentiert wurden. Die dritte Nacht, als sie den ganzen Tag abermal geloffen waren, als wann sie der Teufel selbst gejagt, gieng es mir gar nit besser, sondern viel ärger; dann nachdem ich dieselbe kümmerlich überstanden und alle diese Hengste sich müd gerammelt hatten (pfui, ich schämte mich's beinahe zu sagen, wann ich's dir, Simplicissime[3], nit zu Ehren und Gefallen täte), mußte ich auch vor der Herren Angesicht mich von den Knechten treffen lassen. Ich hatte bisher alles mit Geduld gelitten und gedacht, ich hätte es

hiebevor verschuldet, aber da es hierzu kam, war mir's ein abscheulicher Greuel, also daß ich anfieng zu lamentieren, zu schmälen und Gott um Hülf und Rach anzurufen. Aber ich fande keine Barmherzigkeit bei diesen viehischen Unmenschen, welche, aller Scham und christlichen Ehrbarkeit vergessen, mich zuerst nackend auszogen, wie ich auf diese Welt kommen, und ein paar Handvoll Erbsen auf die Erden schütt'ten, die ich auflesen mußte, worzu sie mich dann mit Spießruten nötigten; ja sie würzten mich mit Salz und Pfeffer, daß ich gumpen und plitzen[4] mußte wie ein Esel, dem man ein Handvoll Dorn oder Nesseln unter den Schweif gebunden; und ich glaube, wann es nicht Winterszeit gewesen wäre, daß sie mich auch mit Brennesseln gegeißelt hätten.
Hierauf hielten sie Rat, ob sie mich den Jungen preisgeben oder mir als einer Zauberin den Prozeß durch den Henker machen lassen wollten. Das letzte, bedunkte sie, gereiche ihnen allen zu schlechter Ehr, weil sie sich meines Leibs teilhaftig gemacht; zudem sagten die Verständigste (wann anders diese Bestien auch noch ein Fünklein des menschlichen Verstands gehabt haben), wann man ein solche Prozedur mit mir hätte vornehmen wollen, so sollte mich der Oberstleutenant gleich anfangs unberührt gelassen und in die Hände der Justiz geliefert haben. Also kam das Urteil heraus, daß man mich den Nachmittag (dann sie lagen denselben Tag in ihrer Sicherheit still) den Reuterjungens preisgeben sollte. Als sie sich nun des elenden Spektakuls des Erbsenauflesens satt gesehen, dorfte ich meine Kleider wieder anziehen, und da ich allerdings damit fertig, begehrte ein Kavalier mit dem Obristleutenant zu sprechen, und das war ebenderjenige Rittmeister, den ich vor Lutter gefangenbekommen, der hatt von meiner Gefangenschaft gehört. Als dieser den Obristleutenant nach mir fragte und zugleich sagte, er verlange mich zu sehen, weil ich ihn vor Lutter gefangen, führete ihn der Obristleut. gleich bei der Hand in das Zimmer und sagte: »Da sitzt die Karania[5], ich will sie jetzt stracks den Jungen preisgeben.« Dann er nicht anders vermeinte, als der

Rittmeister würde sowohl als er ein grausame Rach an mir üben wollen. Aber der ehrliche Kavalier war ganz anders gesinnet, er sahe mich kaum so kläglich dort sitzen, als er anfieng, mit einem Seufzen den Kopf zu schütteln. Ich merkte gleich sein Mitleiden, fiele derowegen auf die Knie nieder und bat ihn um aller seiner adelichen Tugenden willen, daß er sich über mich elende Dame erbarmen und mich vor mehrerer Schand beschirmen wollte. Er hub mich bei der Hand auf und sagte zu dem Oberstenleutenant und seinen Kameraten: »Ach, ihr rechtschaffene Brüder! Was habt ihr mit dieser Damen angefangen?« Der Obersteleutenant, so sich bereits halber bierschellig[6] gesoffen, fiele ihm in die Red und sagte: »Was? Sie ist eine Zauberin!« »Ach, mein Herr verzeihe mir«, antwortet' der Rittmeister, »soviel ich von ihr weiß, so bedunkt mich, sie sei des tapfern, alten Grafen von T. seiner leiblichen Frauen Tochter, welcher rechtschaffene Held bei dem gemeinen Wesen[7] Leib und Leben, ja Land und Leut aufgesetzt[8], also daß mein gnädigster König nicht gutheißen wird, wann man dessen Kinder so traktiert, ob sie gleich ein paar Offizier von uns auf die kaiserl. Seiten gefangenbekommen! Ja ich dörfte glauben, ihr Herr Vater richtet auf diese Stunde in Ungarn noch mehr wider den Kaiser aus, als mancher tun mag, der eine fliegende Armada gegen ihn zu Felde führet.« »Ha«, antwortet' der flegelhaftige Oberstleutenant, »was hab ich gewußt? Warum hat sie das Maul nicht aufgetan?« Die andere Offizier, welche den Rittmeister wohl kannten und wußten, daß er nicht allein von einem hohen dänischen Geschlecht, sondern auch bei dem König in höchsten Gnaden war, baten gar demütig, der Rittmeister wollte dies übersehen, als eine geschehene Sach zum Besten richten und vermittlen, daß sie hierdurch in keine Ungelegenheit kämen; dahingegen obligierten sie sich, ihme auf alle begebende Gelegenheit mit Darsetzung Guts und Bluts bedient zu sein. Sie baten mich auch alle auf den Knien um Verzeihung, ich konnte ihnen aber nur mit Weinen vergeben; und also kam ich, zwar übel geschändt, aus dieser Bestien Gewalt in des Rittmeisters Hände, welcher mich weit höflicher zu traktieren wußte; dann er schickte mich alsobalden, ohne daß er mich einmal berührt hatte, durch einen Diener und einen Reuter von seiner Compagnia in Dänemark auf ein adelig Haus, das ihm kürzlich von seiner Mutter Schwester erblich zugefallen war, allwo ich wie ein Prinzessin unterhalten wurde; welche unversehene Erlösung ich beides, meiner Schönheit und meiner Säugamme zu danken, als die ohne mein Wissen und Willen dem Rittmeister mein Herkommen verträulich erzählt hatte.

Das XIII. Kapitel

Was for gute Täge und Nächte die gräfl. Fräulin im Schloß genosse und wie sie selbige wieder verloren.

Ich pflegte meiner Gesundheit und bähete mich aus[1] wie einer, der halb erfroren aus einem kalten Wasser hinter einem Stubenofen oder zum Feuer kommt; dann ich hatte damals auf der Welt sonst nichts zu tun, als auf der Streu zu liegen und mich wie ein Streitpferd im Winterquartier auszumästen und auf den künftigen Sommer im Feld desto geruheter zu erscheinen und mich in den vorfallenden Okkasionen[2] desto frischer gebrauchen zu lassen. Davon wurde ich in Bälde wieder ganz heil, glatthärig und meines Kavaliers begierig. Der stellte sich auch bei mir ein, ehe die längste Nächt gar vergiengen, weil er der lieblichen Frühlingszeit so wenig als ich mit Geduld erwarten konnte.
Er kame mit vier Dienern, da er mich besuchte, davon mich doch nur der eine sehen dorfte, nämlich derjenige, der mich auch hingebracht hatte. Es ist nicht zu glauben, mit was for herzbrechenden Worten er sein Mitleiden, das er mit mir trug, bezeugete, umb daß ich in den leidigen Wittibstand gesetzt worden; mit was for großen Verheißungen er mich seiner getreuen Dienste versicherte und mit was for Höflichkeit er mir klagte, daß er beides, mit Leib und Seel vor

Lutter mein Gefangner worden wäre. »Hochgeborne, schönste Dam«, sagte er, »dem Leib nach hat mich mein Fatum zwar gleich wieder ledig gemacht und mich doch im übrigen ganz und gar Eueren Sklaven bleiben lassen, welcher jetzt nichts anders begehrt und darum hieher kommen, als aus Ihrem Munde dem Sentenz[3] zum Tod oder zum Leben anzuhören; zum Leben zwar, wann Ihr Euch über Eueren elenden Gefangenen erbarmet, ihn in seinem schweren Gefängnus der Liebe mit tröstlichem Mitleiden tröstet und vom Tod errettet; oder zum Tod, wann ich Ihrer Gnad und Gegenliebe nicht teilhaftig werden oder solcher Euerer Liebe unwürdig geschätzt werden sollte. Ich schätzte mich glückselig, da Sie mich wie ein andere ritterliche Penthasilea[4] mitten aus der Schlacht gefangen hinweggeführt hatte; und da mir durch äußerliche Lediglassung meiner Person meine vermeintliche Freiheit wieder zugestellt wurde, hube sich allererst mein Jammer an, weil ich diejenige nicht mehr sehen konnte, die mein Herz noch gefangenhielte, zumalen auch kein Hoffnung machen konnte, dieselbe wegen beiderseits widereinander strebenden Kriegswaffen jemals wiederum ins Gesicht zu bekommen. Solchen meinen bisherigen elenden Jammer bezeugen viel tausend Seufzer, die ich seithero zu meiner liebwürdigen Feindin gesendet, und weil solche alle vergeblich in die leere Luft giengen, geriete ich allgemach zur Verzweifelung und wäre auch ...« etc. Solche und dergleichen Sachen brachte der Schloßherr vor, mich zu demjenigen zu persuadiern, wornach ich ohnedas so sehr als er selbst verlangte. Weil ich aber mehr in dergleichen Schulen gewesen und wohl wußte, daß man dasjenige, was einem leicht ankommt, auch geringachtet, als' stellte ich mich, gar weit von seiner Meinung entfernet zu sein, und klagte hingegen, daß ich im Werk befande, daß ich sein Gefangner wäre, sintemal ich meines Leibs nit mächtig, sondern in seinen Gewalt aufgehalten würde. Ich müßte zwar bekennen, daß ich ihm vor allen andern Kavalieren in der ganzen Welt zum allergenauesten verbunden, weilen er mich von meinen Ehrenschändern errettet, erkennete auch, daß meine Schuldigkeit seie, solche ehrliche und lobwürdige Tat wieder gegen ihm mit höchster Dankbarkeit zu beschulden; wann aber solche meine Schuldigkeit unter dem Deckmantel der Liebe mit Verlust meiner Ehr abgelegt werden müßte und daß ich eben zu solchem Ende[5] an dieses Ort gebracht worden wäre, so könnte ich nicht sehen, was er bei der ehrbarn Welt for die beschehene ruhmwürdige Erlösung for Ehr und bei mir for einen Dank zu gewarten, mit demütiger Bitte, er wolle sich durch eine Tat, die ihn vielleicht bald wieder reuen würde, keinen Schandflecken anhenken, noch dem hohen Ruhm eines ehrliebenden Kavaliers den Nachklang zufreien[6], daß er ein armes, verlassenes Weibsbild in seinem Hause wider ihren Willen etc. Und damit fieng ich an zu weinen, als wann mir's ein lauterer, gründlicher Ernst gewesen wäre, nach dem alten Reimen[7]:

»Die Weiber weinen oft mit Schmerzen,
gleich als gieng es ihn' von Herzen;
Sie pflegen sich nur so zu stellen
und können weinen, wann sie wöllen.«

Ja damit er mich noch höher ästimieren[8] sollte, bote ich ihm 1000 Reichstaler for meine Ranzion[9] an, wann er mich unberührt lassen und wiederum zu den Meinigen sicher passieren lassen wollte. Aber er antwortet', seine Liebe gegen mir sei so beschaffen, daß er mich nicht for das ganze Königreich Böhmen verwechseln[10] könnte; zudem seie er seines Herkommens und Standes halber mir gar nit ungleich, daß es eben etwan wegen eine Heirat zwischen uns beeden viel Diffikultäten[11] brauchen sollte. Es hatte mit uns beiden natürlich[12] ein Ansehen, als wann ein Täubler irgendeinen Tauber und eine Täubin zusammensperret, daß sie sich paaren sollen, welche sich anfänglich lang genug abmatten, bis sie des Handels endlich eins werden. Ebenalso machten wir's auch, dann nachdem mich Zeit sein bedunkte, ich hätte mich lang genug widersetzt, wurde ich gegen diesem jungen Buhler, welcher noch nicht über zweiundzwanzig Jahr auf sich hatte, so zahm und geschmeidig, daß ich auf seine güldene Promessen in alles einwilligte, was er begehrte. Ich schlug ihm auch so wohl zu, daß er einen ganzen Monat bei mir bliebe. Doch wußte niemand, warum, als obgemeldter einiger[13] Diener und eine alte Haushofmeisterin, die mich in ihrer Pfleg hatte und E. Gräfl. [Gnaden] titulieren mußte. Da hielte ich mich, wie das alte Sprichwort lautet:

»Ein Schneider auf eim Roß, ein Hur aufm Schloß,
Ein Laus auf dem Grind seind drei stolzer Hofgesind.«

Mein Liebhaber besuchte mich denselben Winter gar oft, und wann er sich nicht geschämt hätte, so glaub ich, er hätte den Degen gar an einen Nagel gehängt, aber er mußte beides, seinen Herrn Vatern und den König selbst scheuen, als der sich dem Krieg, wiewohl mit schlechtem Glück, ernstlich angelegen sein ließe. Doch macht' er's mit seinem Besuchen so grob und kam so oft, daß es endlich sein alter Herr Vater und Frau Mutter merkten und auf fleißiges Nachforschen erfuhren, was er for einen Magnet in seinem Schloß heimlich aufhielte, der seine Waffen so oft aus dem Krieg an sich zoge. Derowegen erkundigten sie die Beschaffenheit meiner Person gar eigentlich und trugen große Sorge für ihren Sohn, daß er sich vielleicht mit mir verplempern und hangen bleiben möchte an einer, davon ihr hohes Haus wenig Ehr haben konnte. Derowegen wollten sie ein solche Ehe beizeiten zerstören und doch so behutsam damit umgehen, daß sie sich auch nicht an mir vergriffen, noch meine Verwandte vor den Kopf stießen, wann ich etwan, wie sie von der Haushofmeisterin vernommen, von einem gräflichen Geschlecht geboren sein und ihr Sohn auch mir allbereit die Ehe versprochen haben sollte.

Der allererste Angriff zu diesem Handel war dieser, daß mich die alte Haushofmeisterin gar verträulich warnete, es hätten meines Liebsten Eltern erfahren, daß ihr Herr Sohn eine Liebhaberin heimlich enthielte[14], mit derer er sich wider ihrer, der Eltern, Willen zu verehlichen gedächte, so sie aber durchaus nicht zugeben könnten, dieweil sie ihn allbereit an ein fast[15] hohes Haus zu verheiraten versprochen;

wären derowegen gesinnet, mich beim Kopf nehmen zu lassen, was sie aber weiters mit mir zu tun entschlossen, seie ihr noch verborgen. Hiermit erschreckte mich zwar die Alte, ich ließe aber meine Angst nicht allein nicht merken, sondern stellte mich darzu so freudig, als wann mich der große Moger[16] aus India, wo nit beschützen, doch wenigst revanchieren würde, sintemal ich mich auf meines Liebhabers große Liebe und stattliche Verheißung verlassen, von welchem ich auch gleichsam[17] alle acht Tage nit nur bloße liebreiche Schreiben, sondern auch jedesmal ansehenliche Verehrungen empfieng. Dargegen beklagte ich mich in Widerantwort gegen ihm, wes ich von der Haushofmeisterin verstanden, mit Bitt, er wollte mich aus dieser Gefahr erledigen und verhindern, daß mir und meinem Geschlecht kein Spott widerführe. Das End solcher Korrespondenz war, daß zuletzt zween Diener, in meines Liebhabers Liberei[18] gekleidet, angestochen[19] kamen, welche mir Schreiben brachten, daß ich mich alsobalden mit ihnen verfügen sollte, um mich nacher Hamburg zu bringen, allda er mich – es wäre seinen Eltern gleich lieb oder leid – öffentlich zur Kirchen führen wollte. Wann alsdann solches geschehen wäre, so würden beides, Vater und Mutter wohl ja sagen und als zu einer geschehenen Sach das Beste reden müssen. Ich war gleich fix und fertig wie ein alt Feuerschloß und ließe mich so tags, so nachts erstlich auf Wismar[20] und von dannen auf gedachtes Hamburg führen, allda sich meine zween Diener abstohlen und mich so lang nach einem Kavalier aus Dänemark umsehen ließen, der mich heiraten würde, als ich immer wollte. Da wurde ich allererst gewahr, daß der Hagel geschlagen und die Betrügerin betrogen worden wäre. Ja mir wurde gesagt, ich möchte mit stillschweigender Patienz[21] vorliebnehmen und Gott danken, daß die vornehme Braut unterwegs nicht in der See ertränkt worden wäre, oder man sei auf des Hochzeiters Seiten noch stark genug, mir auch mitten in einer Stadt, da ich mir vielleicht ein vergebliche Sicherheit einbilde, einen Sprung zu weisen[22], der einer solchen gebühre, worvon man wüßte, daß ich zu halten sei. Was sollt ich machen? Mein Hochzeiterei, meine

Hoffnung, meine Einbildungen und alles, worauf ich gespannet, war dahin und miteinander zu Grund gefallen. Die verträuliche, liebreiche Schreiben, die ich an meinen Liebsten von einer Zeit zur andern abgehen lassen, waren seinen Eltern eingeloffen, und die jeweilige Widerantwortbriefe, die ich empfangen, hatten sie abgeben, mich an den Ort zu bringen, da ich jetzt saße und allgemach anfienge, mit dem Schmalhansen zu konferiern[23], der mich leichtlich überredete, mein täglich Maulfutter mit meiner nächtlichen Handarbeit zu gewinnen.

Das XIV. Kapitel

Was Courage ferners anfieng und wie sie nach zweier Reuter Tod sich einem Musketierer teilhaftig machte.

Ich weiß nit, wie es meinem Liebhaber gefallen, als er mich nicht wieder in seinem Schloß angetroffen, ob er gelacht oder geweint habe; mir war's leid, daß ich seiner nicht mehr zu genießen hatte, und ich glaub, daß er auch gern noch länger mit mir vorliebgenommen hätte, wann ihm nur seine Eltern das Fleisch nicht so schnell aus den Zähnen gezogen. Um diese Zeit[1] überschwemmte der Wallensteiner, der Tilly und der Graf Schlick[2] ganz Holstein und andere dänische Länder mit einem Haufen kaiserlicher Völker wie mit einer Süntflut, denen die Hamburger sowohl als andere Ort mit Proviant und Munition aushelfen mußten. Dannenhero gab es viel Aus- und Einreitens und bei mir ziemliche Kundenarbeit. Endlich erfuhre ich, daß meine angenommene Mutter sich zwar noch bei der Armee aufenthielte, hingegen aber alle meine Bagage bis auf ein paar Pferde verloren, welches mir den Kompaß gewaltig verruckte[3]. Es schlug mir in Hamburg zwar wohl zu, und ich hätte mir mein Lebtage kein bessere Händel gewünscht; weil aber solche Fortuna[4] nicht länger bestehen konnte, als solang das Kriegsvolk im Land lag, so mußte ich bedacht sein, meine Sach auch anders zu karten[5]. Es besuchte mich ein junger Reuter, der bedeuchte mich fast[6] liebwürdig, resolut und bei Geldmitteln zu sein; gegen diesem richtet ich alle meine Netz und unterließe kein Jägerstücklein, bis ich ihn in meine Strick brachte und so verliebt machte, daß er mir Salat aus der Faust essen mögen ohne einigen Ekel. Dieser versprach mir bei Teufelholen die Ehe und hätte mich auch gleich in Hamburg zur Kirchen geführt, wann er nicht zuvor seines Rittmeisters Konsens[7] hierzu hätte erbitten müssen; welchen er auch ohnschwer erhielte, da er mich zum Regiment brachte, also daß er nur auf Zeit und Gelegenheit wartete, die Kopulation würklich zu vollziehen lassen. Indessen verwunderten sich seine Kameraten, woher ihm das Glück so eine schöne, junge Maistresse[8] zugeschickt, unter welchen die allermeiste gern seine Schwäger hätten werden mögen; dann damals waren die Völker bei dieser sieghaften Armee wegen langwürigen glücklichen Wohlergehens und vieler gemachten Beuten durch Uberfluß aller Dinge dergestalt fett und ausgefüllt, daß der größte Teil, durch Kützel des Fleisches angetrieben, mehr ihrer Wollust nachzuhängen und solchen abzuwarten, als um Beuten zu schauen oder nach Brot und Fourrage zu trachten gewohnt war; und sonderlich so war meines Hochzeiters Korporal[9] ein solcher Schnapphahn, der auf dergleichen Nascherei am allermeisten verpicht war, als welcher gleichsam eine Profession[10] daraus machte, anderen die Hörner aufzusetzen, und sich's for eine große Schand gerechnet hätte, wann er solches irgends unterstanden[11] und nicht werkstellig machen[12] mögen. Wir lagen damals in Stormaren[13], welches noch niemals gewußt, was Krieg gewesen; dannenhero war es noch voll von Uberfluß und reich an Nahrung, worüber wir uns Herren nannten und dem Landmann for unsere Knechte, Köch und Tafeldecker hielten. Da währete Tag und Nacht das Pankedieren und lude je ein Reuter den andern auf seines Hauswirts Speis und Trank zu Gast. Diesen Modum[14] hielte mein Hochzeiter auch, worauf angeregter Korporal sein Anschlag machte, mir hinter die Haut zu kommen; dann als mein besagter Hochzeiter sich mit zweien von seinen Kameraten (so aber gleichwohl auch des Korporals Kreaturen gewesen) in seinem Quartier lustig machte, kam der Korporal und kommandierte ihn zu der Standarten auf die Wacht, damit, wann mein Hochzeiter fort wäre, er sich selbst mit mir ergötzen könnte. Weil aber mein Hochzeiter den Possen bald merkte und ungern leiden wollte, daß ein anderer seine Stell vertreten oder (daß ich's fein teutsch[15] gebe) daß ihn der Korporal zum Gauch machen[16] sollte, siehe, da sagte er ihm, daß noch etliche wären, denen vor ihm gebührte, solche Wacht zu versehen. Der Korporal hingegen sagte ihm, er sollte nicht viel disputiern, sondern seinem Kommando pariern, oder er wollte ihm Füße machen; dann er wollte diese feine Gelegenheit, meiner teilhaftig zu werden, einmal nicht aus Handen lassen. Demnach ihm aber solche mein Liebster nicht zu gönnen gedachte, widersetzte er sich dem Korporal so lang, bis er von Leder zog und ihn auf die Wacht nötigen oder ihn kraft habenden Gewalts so exemplarisch zeichnen[17] wollte, daß ein andermal ein anderer wisse, wie weit ein Untergebener seinem Vorgesetzten zu gehorsamen schuldig wäre. Aber ach, mein lieber Stern verstund den Handel leider übel, dann er [war] ebensobald mit seinem Degen fertig[18] und verdingte[19] dem Korporal eine solche Wunden in Kopf, die ihn des unkeuschen und erhitzten Geblüts alsobald entledigte[20] und allen Kitzel[21] dergestalt vertriebe, daß ich wohl sicher vor ihm sein konnte. Die beide Gäst giengen ihrem Korporal auf sein Zuschreien zu Hülf und mit ihren Fochteln[22] auch auf meinen Hochzeiter los, davon er den einen alsobalden durchstach und den andern zum Haus hinausjagte, welcher aber gleich wiederkam und nit allein den Feldscherer for die Verwundte, sondern auch etliche Kerl brachte, die meinen Liebsten und mich zum Profosen führten, allwo er an Händ und Füßen in Band und Ketten geschlossen wurde. Man macht's gar kurz mit ihm, dann den andern Tag ward Standrecht über ihn gehalten, und obzwar sonnenklar an Tag kam, daß der Korporal ihn keiner andern Ursachen halber auf die Wacht kommandiert, als selbige Nacht an Statt[23] seiner zu schlafen, so wurde doch

erkannt[24], um den Gehorsam gegen den Offiziern zu erhalten, daß mein Hochzeiter aufgehenkt, ich aber mit Ruten ausgehauen werden sollte, weil ich an solcher Tat ein Ursächerin gewesen. Jedoch wurden wir beide so weit erbeten[25], daß mein Hochzeiter harkebusiert[26], ich aber mit dem Steckenknecht[27] vom Regiment geschickt wurde, welches mir gar ein abgeschmackte Reis war.
So sauer kam mich aber diese Reis nicht an, so fanden sich doch zween Reuter in unserm Quartier, die mir und ihnen solche versüßen wollten; dann ich war kaum ein Stund gehend hinweg, da saßen diese beide in einem Busch[28], dardurch ich mußte passieren, mich willkommen zu heißen. Ich bin zwar, wann ich die Wahrheit bekennen muß, meine Tage niemal so hechel[29] gewesen, einem guten Kerl eine Fahrt abzuschlagen, wann ihn die Not begriffen; aber da diese zween Halunken mitten in meinem Elend ebendasjenige von mir mit Gewalt begehrten, wessentwegen ich verjagt und mein Auserwählter totgeschossen worden, widersetzte ich mich mit Gewalt; dann ich konnte mir wohl einbilden, wann sie ihren Willen erlangt und vollbracht, daß sie mich auch erst geplündert hätten, als welches Vorhaben ich ihnen gleichsam aus den Augen und von der Stirnen ablesen konnte; sintemal sie sich nicht schämten, mit entblößten Degen auf mich wie auf ihren Feinde loszugehen, beides, mich zu erschrecken und zu dem, was sie suchten, zu nötigen. Weil ich aber wußte, daß ihre scharfe Klingen meiner Haut weniger als zwo Spießgerten[30] abhaben[31] würden, siehe, da waffnete ich mich mit meinen beiden Messern, von denen ich in jede Hand eins nahm und ihnen dergestalt begegnete, daß der eine eins davon im Herzen stecken hatte, ehe er sich's versahe; der ander war stärker und vorsichtiger als der erste, wessentwegen ich ihme dann so wenig als er mir an den Leib kommen konnte. Wir hatten unter währendem Gefecht ein wildes Geschrei; er hieße mich eine Hur, eine Vettel, eine Hex und gar einen Teufel; hingegen nannte ich ihn einen Schelmen, einen Ehrendieb und was mir mehr von solchen ehrbarn Tituln ins Maul kam, welches Balgen einen Musketierer überzwergs[32]

durch den Busch zu uns lockte, der lang stunde und uns zusahe, was wir for seltzame Sprüng gegeneinander verübten, nicht wissend, welchem Teil er unter uns beistehen oder Hülfe leisten sollte; und als wir ihn erblickten, begehrte ein jedes, er wollte es von dem andern erretten. Da kann nun ein jeder wohl gedenken, daß Mars der Veneri viel lieber als dem Vulkano[33] beigestanden, vornehmlich als ich ihn gleich güldene Berg versprach und ihn meine ausbündige Schönheit blendet' und bezwang. Er paßte auf und schlug auf den Reuter an[34] und brachte ihn mit Bedrohung dahin, daß er mir nicht allein den Rucken wendet', sondern auch anfieng darvonzulaufen, daß ihm die Schuchsohlen hätten herunterfallen mögen, seinen entseelten Kameraten sich in seinem Blut walzend hinterlassend.
Als nun der Reuter seines Wegs war und wir uns allein beisammenbefanden, erstummte dieser junge Musketierer gleichsam über meiner Schönheit und hatte nit das Herz, etwas anders mit mir zu reden, als daß er mich fragte, durch was for ein Geschick ich so gar allein zu diesem Reuter kommen wäre? Darauf erzählte ich ihm alles haarklein, was sich mit meinem gehabten Hochzeiter, item mit dem Korporal und dann auch mit mir zugetragen, sodann, daß mich diese beide Reuter, nämlich der gegenwärtige Tode und der Entloffene, als ein armes, verlassenes Weibsbild mit Gewalt schänden wollen, deren ich mich aber bisher, wie er selbst zum Teil wohl gesehen, ritterlich erwehrt, mit Bitt, er wollte als mein Nothelfer und Ehrenretter mich ferner beschützen helfen, bis ich irgendshin zu ehrlichen Leuten wieder in Sicherheit käme; versicherte ihn auch ferner, daß ich ihme for solche seine erwiesene Hülfe und Beistand mit einem ehrlichen Rekompens[35] zu begegnen nicht ermanglen würde. Er besuchte darauf den Toten und nahme zu sich, was er Schätzbarliches bei sich hatte, welches ihm seine Mühe ziemlich belohnte. Darauf machten wir uns beide bald aus dem Staub, und indem wir unseren Füßen gleichsam über Vermögen[36] zusprachen, kamen wir desto ehender durch den Bosch[37] und

erreichten denselben Abend noch des Musketierers Regiment, welches fertig stunde, mit dem Collalto, Altrinniger und Gallas[38] in Italia zu gehen.

Das XV. Kapitel

Mit was for Konditionen[1] sie den Ehestand ledigerweis zu treiben einander versprochen.

Wann eine ehrliche Ader in meinem Leibe gewesen wäre, so hätte ich damals meine Sach anders anstellen und auf einen ehrlichern Weg richten können; dann meine angenommene Mutter mit noch zweien von meinen Pferden und etwas an parem Geld erkundigt'[2] mich und gab mir den Rat, ich sollte mich aus dem Krieg zu meinem Geld auf Prag oder auf meines Hauptmanns Güter tun und mich im Frieden haushäblich[3] und geruhlich ernähren. Aber ich ließe meiner unbesonnenen Jugend weder Weisheit noch Vernunft einreden, sondern je toller das Bier gebrauet wurde, je besser es mir schmeckte. Ich und gedachte meine Mutter hielten sich bei einem Markedenter unter demjenigen Regiment, darunter mein Mann, der zu Hoya umkommen, Hauptmann gewesen, allwo man mich seinetwegen ziemlich respektierte; und ich glaub auch, daß ich wieder einen wackern Offizier zum Mann bekommen hätte, wann wir geruhig gewest und irgends in einem Quartier gelegen wären. Aber dieweil unsere Kriegsmacht von 20 000 Mannen, in drei Heeren bestehend, schnell auf Italia marschierte und durch Graubünden[4], das viel Verhinderungen gemacht, brechen mußte, siehe, da gedachten wenig Witzige[5] an das Freien, und dannenhero verbliebe ich auch desto länger eine Wittib. Überdas hatten auch etliche nicht das Herz, andere aber sonst ihr Bedenken, mich um die Verehlichung anzureden; und sonst mir extra oder nebenher etwas zuzumuten, darzu hielten sie mich for viel zu ehrlich, weil ich mich bei meinem vorigen Mann gehalten, daß mich männiglich for ehrlicher hielte, als ich gewesen. Gleichwie mir aber mit einer langwierigen Fasten wenig gedienet, also hatte sich hingegen derjenige Musketier, so mir in der Okkasion, die ich mit obengedachter beiden Reutern gehabt, zu Hülfe kommen, dergestalt an mir vergafft und vernarret, daß er Tag und Nacht keine Ruhe hatte, sondern mir manchen Trab schenkte[6], wann er nur Zeit haben und abkommen konnte. Ich sahe wohl, was mit ihm umgieng und wo ihn der Schuh druckte; weil er aber die Courage nicht hatte, sein Anliegen der Courage zu entdecken, war bei mir die Verachtung so groß als das Mitleiden. Doch änderte ich nach und nach meinen stolzen Sinn, der anfangs nur gedachte, eine Offiziererin zu sein; dann als ich des Markedenters Gewerb und Hantierung betrachtete und täglich vor Augen sahe, was ihm immerzu für Gewinn zugieng und daß hingegen mancher praver Offizier mit dem Schmalhansen Tafel halten mußte, fieng ich an, darauf zu gedenken, wie ich auch eine solche Markedenterei aufrichten und ins Werk stellen möchte. Ich machte den Uberschlag mit meinem bei mir habenden Vermögen und fand solches, weil ich noch ein ziemliche Quantität Goldstücker in meiner Brust vernähet wußte, gar wohl pastant[7] zu sein. Nur die Ehr oder Schand lag mir noch im Weg, daß ich nämlich aus einer Hauptmännin ein Markedenterin werden sollte. Als ich mich aber erinnerte, daß ich damals keine mehr war, auch wohl vielleicht keine mehr werden würde, siehe, da war der Würfel schon geworfen, und ich fieng bereits an, in meinem Sinn Wein und Bier um doppelt Geld auszuzapfen und ärger zu schinden und zu schachern, als ein Jud von 50 oder 60 Jahren tun mag.

Eben um diese Zeit, als wir nämlich mit unseren dreifachen kaiserlichen Heer über die Alpes oder das hohe Gebürg in Italiam gelangt, war es mit meines Galanen[8] Liebe aufs höchste kommen, ohne daß er noch das geringste Wort darvon mit mir gesprochen. Er kam einsmals unter dem Vorwand, ein Maß Wein zu trinken, zu meines Markedenters Zelt und sahe so bleich und trostlos aus, als wann er kürzlich ein Kind bekommen und keinen Vater, Mehl noch Milch darzu gehabt oder gewüßt hätte. Seine traurige Blick und seine sehnliche Seufzer waren seine beste Sprach, die er mit mir redet', und da ich ihn um sein Anliegen fragte, erkühnete er gleichwohl, also zu antworten: »Ach, meine allerliebste Frau Hauptmännin« (dann »Courage« dorfte er mich nicht nennen), »wann ich Ihr mein Anliegen erzählen sollte, so würde ich Sie entweder erzörnen, daß Sie mir Ihre holdselige Gegenwart gleich wieder entzuckt[9] und mich in Ewigkeit Ihres Anschauens nicht mehr würdigt, oder ich würde einen Verweis meines Frevels von Ihr empfangen, deren eins von diesen beiden genugsam wären, mich dem Tod vollends aufzuopfern.« Und darauf schwiege er wieder stockstill. Ich antwortet: »Wann Euch deren eins kann umbringen, so kann Euch auch ein jedes davon erquicken[10]; und weil ich Euch dessentwegen verbunden bin, daß Ihr mich, als wir in den Vierlanden[11] zwischen Hamburg und Lübeck lagen, von meinen Ehrenschänderen errettet, so gönne ich Euch herzlich gern, daß Ihr Euch gesund und satt an mir sehen möget.« »Ach, mein hochgeehrte Frau«, antwortet' er, »es befindet sich hierin ganz das Widerspiel, dann da ich Sie damals das erstemal ansahe, fieng auch meine Krankheit an, welche mir aber den Tod bringen wird, wann ich Sie nicht mehr sehen sollte! Ein wunderbarlicher und seltzamer Zustand, der mir zum Rekompens[12] widerfahren, dieweil ich mein hochehrende Frau aus Ihrer Gefährlichkeit errettete!« Ich sagte, so müßte ich einer großen Untreu zu beschuldigen sein, wann ich dergestalt Gutes mit Bösem vergolten hätte. »Das sag ich nicht«, antwortet' mein Musketierer. Ich replizierte[13]: »Was habt Ihr dann zu klagen?« »Über mich, über meine Unglückseligkeit«, antwortet' er, »und über meine Verhängnus oder vielleicht über meinen Vorwitz, über meine Einbildung oder, ich weiß selbst nicht, über was! Ich kann nicht sagen, daß die Frau Hauptmännin undankbar sei, dann um der geringen Mühe willen, die ich anlegte, als ich den noch lebenden Reuter verjagte, der Ihrer Ehr zusetzte, bezahlte mich dessen Verlassenschaft genugsam, welchen mein hochehrende Frau zuvor des Lebens hochrühmlich beraubte, damit er Sie Ihrer Ehr nicht schändlich berauben sollte. Meine Frau Gebieterin«, sagte er ferner, »ich bin in einem solchen verwirrten Stand, der mich so verwirret, daß ich auch weder meine Verwirrung noch mein Anliegen noch mein oder Ihre Beschuldigung, weniger meine Unschuld oder so etwas erläutern möchte, dardurch mir geholfen werden könnte. Sehet, allerschönste Dam, ich sterbe, weil mir das Glück und mein geringer Stand nicht gönnet, Ihrer Hoheit zu erweisen, wie glückselig ich mich erkennete, Ihr geringster Diener zu sein.« Ich stunde da wie eine Närrin, weil ich von einem geringen und noch sehr jungen Musketierer solche, wiewohl untereinander- und, wie er selbst sagte, aus einem verwirrten Gemüt laufende Reden hörete. Doch kamen sie mir vor, als wann sie mir nichtsdestoweniger einen muntern Geist und sinnreichen Verstand anzeigten, der einer Gegenlieb würdig und mir nicht übel anständig sei[14], mich dessen zu meiner Markedenterei, mit welcher ich damals groß schwanger gieng, rechtschaffen zu bedienen. Derowegen machte ich's mit dem Tropfen gar kurz und sagte zu ihm: »Mein Freund, Ihr nennet mich fürs 1. Euer Gebieterin, fürs 2. Euch selbst meinen Diener, wann Ihr's nur sein könntet; fürs 3. klagt Ihr, daß Ihr ohne meine Gegenwart sterben müßt. Daraus nun erkenne ich eine große Liebe, die Ihr vielleicht zu mir traget. Jetzt sagt mir nur, wormit ich solche Liebe erwidern möge; dann ich will gegen einen solchen, der mich von meinen Ehrenschändern errettet, nicht undankbar erfunden werden.« »Mit Gegenlieb«, sagte mein Galan, »und wann ich dann würdig wäre, so wollte ich mich for den allerglückseligsten Menschen in der ganzen Welt schätzen.« Ich antwortet: »Ihr habt allererst selbst bekennet, daß Euer Stand zu gering sei, bei mir zu sein, den Ihr zu sein wünschet und was Ihr gegen mir mit weitläuftigen Worten weiters zu verstehen gegeben habt. Was Rats aber, damit Euch geholfen und ich von aller Bezüchtigung der Undankbarkeit und Untreu, Ihr aber Euers Leidens entübrigt werden möchtet?« Er antwortet', seinesteils sei mir alles heimgestellt, sintemal er mich mehr for eine Göttin als for eine irdische Kreatur halte, von deren er auch jederzeit entweder den Sentenz[15] des Todes oder des Lebens, die Servitut[16] oder Freiheit, ja alles gern annehmen wollte, was mir nur zu befehlen beliebte; und solches bezeugte er mit solchen Gebärden, daß ich wohl erachten konnte, ich hätte einen Narren am Strick, der eher in seiner Dienstbarkeit mir zu Gefallen erworgen[17], als in seiner Libertät[18] ohne mich leben würde.

Ich verfolgte das, was ich angefangen, und unterstunde zu fischen, dieweil das Wasser trüb war; und warum wollte ich's nicht getan haben, da doch der Teufel selbst diejenige, die er in solchem Stand findet, wie sich mein Leffler[19] befande, vollends in seine Netze zu bringen unterstehet? Ich sage dies nicht, daß ein ehrlicher Christenmensch den Werken dieses seines abgefeimten, bösen Feindes zu folgen an mir ein Exempel nehmen soll, weil ich ihm damals nachahmte, sondern daß Simplicius, dem ich diesen meinen Lebenslauf allein zueigne, sehe, was er for eine Dame an mir geliebt; und höre nur zu, Simplex, so wirst du erfahren, daß ich dir dasjenige Stücklein, so du mir im Sauerbrunnen erwiesen, dergestalt wiedereingetränkt, daß du for ein Pfund, so du ausgeben, wieder ein Zentner eingenommen. Aber diesen meinen Galanen brachte ich so weit, daß er mir folgende Punkten eingieng und zu halten versprach:

Erstlich sollte er sich von seinem Regiment loswürken, weil er anderergestalt mein Diener nicht sein könnte, ich aber keine Musketiererin sein möchte.

Alsdann solle er zweitens bei mir wohnen und mir, wie ein anderer Ehemann alle Lieb und Treu seiner Ehefrauen zu erweisen pflege, ebendesgleichen zu tun schuldig sein und ich ihme hinwiederum.

Jedoch sollte solche Verehlichung drittens vor der christlichen Kirchen nicht ehe bestätigt werden, ich befände mich dann zuvor von ihm befruchtet.

Bis dahin sollte ich viertens die Meisterschaft nicht allein über die Nahrung, sondern auch über meinen Leib, ja auch über meinen Serviteur[20] selbsten haben und behalten in aller

Maß und Form, wie sonst ein Mann das Gebiet[21] über sein Weib habe.
Kraft dessen sollte er fünftens nicht Macht haben, mich zu verhindern noch abzuwehren, viel weniger sauer[22] zu sehen[23], wann ich mit andern Mannsbildern konversiere oder etwas dergleichen unterstünde, das sonst Ehemänner zum Eifern verursachte.
Und weil ich sechstens gesinnet sei, eine Marketenterin abzugeben, sollte er zwar in solchem Geschäfte das Haupt sein und der Handelschaft wie ein getreuer und fleißiger Hauswirt so tags, so nachts emsig vorstehen, mir aber das Oberkommando sonderlich über das Geld und ihn selbsten lassen und gehorsamlich gedulten, ja ändern und verbessern, wann ich ihne wegen einiger seiner Saumsal korrigiern würde; in Summa, er sollte von männiglich for den Herrn zwar gehalten und angesehen werden, auch solchen Namen und Ehre haben, aber gegen mir obenangeregte[24] Schuldigkeit in allweg in acht nehmen. Und solches alles verschrieben[25] wir einander.
Damit er auch solcher Schuldigkeit sich allezeit erinnern möge, sollte er zum siebenden gedulten, daß ich ihn mit einem sonderbaren Namen nennete, welcher Nam aus den ersten Wörtern des Befehls genommen werden sollte, wormit ich ihn das erstemal etwas zu tun heißen würde.
Als er mir nun alle diese Punkten eingangen und zu halten geschworen, bestätigte ich solches mit einem Kuß, ließe ihn aber for diesmal nicht weiter kommen. Darauf brachte er bald sein Abscheid, ich hingegen griffe mich an[26] und brachte unter einem andern Regiment zu Fuß zuwegen alles, was ein Markedenter haben sollte, und fieng an, mit dem Judenspieß zu laufen[27], als wann ich das Handwerk mein Lebtag getrieben hätte.

Das XVI. Kapitel

Wie Springinsfeld und Courage miteinander hauseten.

Mein junger Mann ließe sich trefflich wohl an in allem demjenigen, worzu ich ihn angenommen und zu brauchen hatte; so hielte er auch obenvermeldte Artikul so nett[1] und erzeigte sich so gehorsam, daß ich die geringste Ursach nicht hatte, mich über ihn zu beschweren. Ja wann er mir ansehen konnte, was mein Will war, so war er schon bereit, solchen zu vollbringen; dann er war in meiner Liebe so gar ersoffen, daß er mit hörenden Ohren nit hörete, noch mit sehenden Augen nit sahe, was er an mir und ich an ihm hatte, sondern er vermeinete vielmehr, er hätte die allerfrömmste, getreueste, verständigste und keuscheste Liebste auf Erden, worzu mir und ihm dann meine angenommene Mutter, die er meinetwegen auch in großen Ehren hielte, trefflich zu helfen wußte. Diese war viel listiger als eine Füchsin, viel geiziger[2] als eine Wölfin, und ich kann nicht sagen, ob sie in der Kunst, Geld zu gewinnen, oder zu kupplen am vortrefflichsten gewesen sei. Wann ich ein los Stücklein in dergleichen Sachen im Sinn hatte und ich mich um etwas scheuete (dann ich wollte for gar fromm und schamhaftig angesehen sein), so dorfte ich's ihr nur anvertrauen und war damit soviel als versichert, daß mein Verlangen ins Werk gestellt würde; dann ihr Gewissen war weiter als des Rhodiser Colossi[3] Schenkel auseinandergespannet, zwischen welchen die größte Schiff ohne Segelstreichung durchpassieren können. Einmal hatte ich große Begierden, eines Jungen von Adel teilhaftig zu sein, der selbiger Zeit noch Fähndrich war und mir seine Liebe vorlängsten zu verstehen gegeben. Wir hatten eben damals, als mich diese Lust ankam, das Läger bei einem Flecken geschlagen, wessentwegen sowohl mein Gesind als ander Volk um Holz und Wasser aus war; mein Markedenter aber gieng beim Wagen herumnisteln[4], als er mir eben mein Zelt aufgeschlagen und die Pferd zunächst bei uns zu andern auf die Weid laufen lassen. Weil ich nun mein Anliegen meiner Mutter eröffnet, schaffte sie mir denselben Fähndrich – wiewohl zur Unzeit – an die Hand, und als er kam, war das erste Wort, das ich ihn in Gegenwart meines Manns fragte, ob er Geld hätte, und da er mit Ja antwortet', dann er vermeinte, ich fragte allbereit um (s. v.)[5] den Hurenlohn, sagte ich zu meinem Markedenter: »Spring ins Feld und fange unsern Schecken, der Herr Fähndrich wollte ihn gern bereiten und uns denselben abhandlen und gleich par bezahlen.« Indessen nun mein guter Markedenter gehorsamlich hingieng, meinen ersten Befelch zu vollbringen, hielte die Alte Schildwacht, dieweil wir den Kauf miteinander machten und auch einander ritterlich bezahlten. Demnach sich aber das Pferd nicht von meinem Markedenter so leichtlich wie seine Markedenterin vom Fähndrich fangen lassen wollte, kam er ganz ermütet wiederum zum Zelt, ebenso ungedultig, als sich der Fähndrich wegen seines langen Wartens stellet'. Dieser Geschichten halber hat besagter Fähndrich nachgehends ein Lied gemacht, »Der Scheck« genannt, anfahend: »Ach, was für unaussprechliche Pein« etc., mit welchem sich in folgender Zeit ganz Teutschland etliche Jahr geschleppt, da doch niemand wußte, woher es seinen Ursprung hatte. Mein Markedenter aber bekam hierdurch kraft unserer Heiratsnotal[6] den Namen »Springinsfeld«, und dies ist eben der Springinsfeld, den du, Simplicissime, in deiner Lebensbeschreibung oftermal for einen guten Kerl rühmest[7]. Du mußt auch wissen, daß er alle diejenige Stücklein, die er und du beides, in Westfalen und zu Philippsburg[8] verübet, und sonst noch viel mehr darzu von sonst niemand als von mir und meiner alten Mutter gelernet; dann als ich mich mit ihm paaret, war er einfältiger als ein Schaf und kam wieder abgefeimbter von uns, als ein Luchs und Kernessig[9] sein mag.

Aber die Wahrheit zu bekennen, so sind ihm solche seine Wissenschaften nicht umsonst ankommen, sondern er hat mir das Lehrgeld zuvor genug bezahlen müssen. Einsmals, da er noch in seiner ersten Einfalt war, diskurrierten er, ich und meine Mutter von Betrug und Bosheit der Weiber, und er entblödete sich zu rühmen, daß ihn kein Weibsbild betrügen sollte, sie wäre auch so schlau, als sie immer wollte. Gleichwie er nun seine Einfalt hiermit genugsam an den Tag legte, also bedauchte mich hingegen, solches wäre meiner und aller verständigen Weiber Dexterität[10] viel zu nahe und nachteilig geredet, sagte ihm derowegen unverhohlen, ich wollte ihn neunmal vor der Morgensuppe betrügen können, wann ich's nur tun wollte. Er hingegen vermaß sich zu sagen, wann ich solches könnte, so wolle er sein Lebtag mein leibeigener Sklave sein, und trutzte[11] mich noch darzu, wann ich solches zu tun mich nicht unterstünde, doch mit dem Geding, wann ich in solcher Zeit gar keinen Betrug von den neunen bei ihm anbrächte, daß ich mich alsdann zur Kirchen führen und mit ihm ehrlich kopulieren lassen sollte. Nachdem wir nun solchergestalt der Wettung eins worden, kam ich des Morgens frühe mit der Suppenschüssel, darin das Brot lag, und hatte in der andern Hand das Messer samt einem Wetzstein, mit Begehren, er sollte mir das Messer ein wenig schärpfen, damit ich die Suppe einschneiden könnte. Er nahm Messer und Stein von mir, weil er aber kein Wasser hatte, leckte er den Wetzstein mit der Zunge, um selbigen zu befeuchtigen. Da sagte ich: »Nun, das walt' Gott, das ist schon zweimal!« Er befremdet' sich und fragte, was ich mit dieser Rede vermeine. Hingegen fragte ich ihn, ob er sich dann unserer gestrigen Wettung nicht mehr zu erinnern wisse. Er antwortet': »Ja« und fragte, ob und womit ich ihn dann schon betrogen. Ich antwortet: »Erstlich machte ich das Messer stumpf, damit du es wieder schärfer wetzen müßtest; zweitens zog ich den Wetzstein durch ein Ort, das du dir leicht einbilden kannst, und gab dir solchen mit der Zung zu schlecken.« »Oho«, sagte er, »ist's um diese Zeit[12], so schweig nur still und höre auf; ich gib dir gern gewonnen und begehre die restierende[13] Mal nit zu erfahren.«

Also hatte ich nun an meinem Springinsfeld einen Leibeignen; bei Nacht, wann ich sonst nichts Bessers hatte, war er mein Mann, bei Tag mein Knecht, und wann es die Leute sahen, mein Herr und Meister überall. Er konnte sich auch so artlich in den Handel und in meinen Humor[14] schicken, daß ich mir die Tage meines Lebens keinen besseren Mann hätte wünschen mögen, und ich hätte ihn auch mehr als gern geehlicht, wann ich nicht besorget, er würde dardurch den Zaum des Gehorsams verlieren und in Behauptung der billichen Oberherrlichkeit, die ihm alsdann gebühren würde, mir hundertfältig wiederum eintränken, was ich ihm etwan ohnverehlicht zuwidergetan und er ohn Zweifel mit großem Verdruß zuzeiten verschmerzen müssen. Indessen lebten wir bei- und miteinander so einig, aber nicht so heilig, als wie die liebe Engel. Mein Mutter versahe die Stelle einer Markedenterin an meiner Statt, ich den Stand einer schönen Köchin oder Kellerin, die ein Wirt darum auf der Streu hält, damit er viel Gäst bekommen möge; mein Springinsfeld aber war Herr und Knecht und was ich sonst haben wollte, das er sein sollte. Er mußte mir glatt pariern und meiner Mutter Gutachten[15] folgen; sonst war ihm alles mein Gesind gehorsam als ihrem Herrn, dessen ich mehr hielte als mancher Hauptmann; dann wir hatten liederliche Kommißmetzger bei dem Regiment, welche lieber Geld zu versaufen als zu gewinnen gewohnt waren. Darum trang ich mich durch Schmieralia[16] in ihre Profession und hielte zween Metzgerknecht for einen, also daß ich das Prä[17] allein behielte und jene nach und nach kaputtspielte, weil ich einem jeden Gast, er wäre auch herkommen, woher er immer wollte, mit einem Stück von allerhand Gattung Fleisch zu Hülf kommen konnte, ob er es gleich rohe, gesotten, gebraten oder lebendig[18] haben wollen. Gieng es dann an ein Stehlen, Rauben und Plündern (wie es dann in den vollen und reichen Italia treffliche Beuten setzt'), so mußten nit nur Springinsfeld samt meinem Gesind ihre Hälse daran wagen, etwas einzuholen, sondern die Courage selbst fieng ihre vorige Gattung zu leben, die sie in Teutschland getrieben, wiederum an; und indem ich dergestalt gegen dem Feind mit Soldatengewehr, gegen den Freunden aber im Lager und in den Quartiern mit dem Judenspieß fochte, auch wo man mir in aller Freundlichkeit offensive begegnen wollte, den Schild vorzusetzen wußte, wuchse mein Beutel so groß darvon, daß ich beinahe alle Monat einen Wechsel von 1000 Kronen nach Prag zu übermachen hatte, und litte samt den Meinigen doch niemals keinen Mangel; dann ich beflisse mich dahin, daß mein Mutter, mein Springinsfeld, mein übrig Gesind und vornehmlich meine Pferde zu jeder Zeit ihr Essen, Trinken, Kleid und Fütterung hatten, und hätte ich gleich selbst Hunger leiden, nackend gehen und Tag und Nacht unter dem freien Himmel mich behelfen sollen. Hingegen aber mußten sie sich auch befleißen, einzutragen und in solcher Arbeit weder Tag noch Nacht zu feiern, und sollten sie Hals und Kopf darüber verloren haben.

Das XVII. Kapitel

Was der Courage for ein lächerlicher Poss' widerfuhre und wie sie sich deswegen wieder rächete.

Schaue, mein Simplice[1], also war ich bereits deines Kameraten Springinsfelds Matresse und Lehrmeisterin, da du vielleicht deinem Knan[2] noch der Schwein hütetest und ehe du geschickt genug warest, anderer Leute Narr zu sein, und hast dir doch einbilden dörfen, du habest mich im Saurbrunnen betrogen! Nach der ersten mantuanischen Belägerung[3] bekamen wir unser Winterquartier in einem lustigen Städtlein, allwo es bei mir anfieng, ziemlich Kundenarbeit zu geben. Da vergieng kein Gasterei oder Schmaus, dabei sich nicht die Courage fand, und wo sie sich einstellete, da galten die italienische Puttani[4] wohl nichts; dann bei den Italienern war ich Wildbret und etwas Fremds, bei den Teutschen konnte ich die Sprach, und gegen beiden Nationen war ich viel zu freundlich, darneben noch trefflich schön; so war ich auch nicht so gar hoffärtig und teuer und hatte sich niemands keines Betrugs von mir zu besorgen, dem aber die Italienerinnen dichte voll staken. Solche meine Beschaffenheiten

verursachten, daß ich den welschen[5] Huren viel gute Kerl abspannete, die jene verließen und mich hingegen besuchten, welches bei ihnen kein gut Geblüt gegen mir setzte. Einsmals lude mich ein vornehmer Herr zum Nachtessen, der zuvor die berühmteste Puttana[6] bedient, sie aber auch meinetwegen verlassen hatte. Solches Fleisch gedachte mir jene wiederum zu entziehen und brachte mir derowegen wiederum durch eine Kirschnerin bei demselben Nachtimbiß etwas bei, davon sich mein Bauch blähete, als ob er hätte zerspringen wollen; ja die Leibsdünste trängten mich dergestalt, daß sie endlich den Ausgang mit Gewalt öffneten und eine solche liebliche Stimm über Tafel hören ließen, daß ich mich deren schämen mußte; und sobald sie die Tür einmal gefunden, passierten sie mit einer solchen Ungestüm nacheinander heraus, daß es daherdonnerte, als ob etliche Regimenter eine Salve geben hätten. Als ich nun dessentwegen vom Tisch aufstunde, um hinwegzulaufen, gieng es bei solcher Leibsbewegung allererst rechtschaffen an; alle Tritt entwischte mir aufs wenigst einer oder zehen, wiewohl sie so geschwind aufeinanderfolgten, daß sie niemand zählen konnte. Und ich glaube, wann ich sie alle wohl anlegen oder der Gebühr nach fein ordentlich austeilen könnten, daß ich zwo ganzer, geschlagener Glockenstund trutz dem besten Tambour den Zapfenstreich darmit hätte verrichten mögen. Es währete aber ungefähr nur eine halbe Stund, in welcher Zeit beides, Gäst und Aufwarter mehr Qual von dem Lachen als ich von dem kontinuierlichen Trompeten erlitten.
Diesen Possen rechnete ich mir for einen großen Schimpf und wollte vor Scham und Unmut ausreißen. Eben also tät auch mein Gastherr, als der mich zu etwas anders, als diese schöne Musik zu halten, zu sich kommen lassen, hoch und teuer schwerend[7], daß er diesen Affront[8] rächen wollte, wann er nur erfahren könnte, durch was for Pfefferkörner- und Ameiseneier-Köch[9] diese Harmonia angestimmt worden wäre. Weil ich aber daran zweifelt[10], ob nicht er vielleicht selbst den ganzen Handel angestellt, siehe, so saße ich dort zu protzen[11], als wann ich mit den plitzenden Strahlen mei-

ner zornigen Augen alles hätte töden wollen, bis ich endlich von einem Beisitzenden erfuhr, daß obengedachte Kürschnerin damit umgehen könnte; und weil er sie unten im Hause gesehen, müßte er gedenken, daß sie irgends von einer eifersüchtigen Damen gedinget worden, mich einem oder andern Kavalier durch diesen Possen zu verleiten[12], maßen man von ihr wüßte, daß sie ebendergleichen einem reichen Kaufherrn getan, der durch eine solche Musik seiner Liebsten Gunst verloren, weil er sie in ihrer und ander ehrlichen Leute Gegenwart hören lassen. Darauf gab ich mich zufrieden und bedachte mich auf eine schleunige Rach, die ich aber weder offentlich noch grausam ins Werk setzen dorfte, weil wir in den Quartiern (unangesehen wir das Land dem Feind abgenommen) gute Ordre[13] halten mußten.

Demnach ich nun die Wahrheit erfahren, daß es nämlich nit anderst hergangen, als wie obengedachter Tischgenoss' geargwohnet, also erkundigt ich derjenigen Damen, die mir den Possen hatt zugerichtet, Handel und Wandel, Tun und Lassen auf das genaueste, als ich immer konnte; und als mir ein Fenster gewiesen wurde, daraus sie bei Nacht denen, so zu ihr wollten, Audienz zu geben pflegte, offenbart ich meinen auf sie habenden Grollen zweien Offiziern. Die mußten mir, wollten sie anders meiner noch fürderhin genießen, die Rach zu vollziehen versprechen, und zwar auf solche und kein andere Weis, als wie ich ihnen vorschriebe; dann mich deuchte, es wäre billig, weil sie mich nur mit dem Dunst vexiert[14], daß ich sie mit nichts anders als mit dem Dreck selbst belohnen sollte. Und solches geschahe folgendergestalt: Ich ließe eine rinderne Blasen mit dem ärgsten Unrat füllen, der in den untersichgehenden[15] Kaminen durch M. Aßmussen[16], deren Säuberern[17], zu finden. Solche ward an eine Stange oder Schwinggerten, damit man die Nüss' herunterschlägt oder die Rauchkamin zu säubern pflegt, angebunden und von dem einen bei finsterer Nacht, als der ander mit der Puttanen leffelte, welche oben an ihrem gewöhnlichen Audienzfenster lag, ihr mit solcher Gewalt in das Angesicht geschlagen, daß die Blase zersprang und ihr der Speck beides,

Nasen, Augen, Maul und ihren Busen samt allen Zierden und Kleinodien besudelte; nach welchem Streich sowohl der Leffler[18] als Exekutor[19] darvonliefen und die Hur am Fenster lamentieren ließen, solang sie wollte. Die Kürschnerin bezahlte ich also: Ihr Mann war gewohnet, alle Haar, und sollten sie auch von den Katzen gewesen sein, so genau zusammenzuhalten, als wann er sie von dem güldenen Widderfell aus der Insul Kolchis[20] abgeschoren hätte, so gar daß er auch kein Abschrötlin von dem Belzflecklin hinwarf oder in die Dung kommen ließe, es wäre gleich vom Biber, Hasen oder dem Lamm gewesen, er hätte solches dann zuvor seiner Haar oder Woll plutt[21] hinwegberaubt gehabt! Und wann er dann so ein paar Pfund beisammen hatte, gab ihm der Hutmacher Geld darum, welches ihm auch etwas zu bröslen[22] ins Haus verschaffte; und wann es gleich langsam und gering kam, so kam es doch wohl zu seiner Zeit. Solches wurde ich von einem andern Kürschner innen, der mir denselben Winter einen Belz fütterte. Derowegen bekam ich von dergleichen Woll und Haaren so viel, als genug war, und macht eitel Schermesser[23] daraus. Als solche fertig oder, besser zu erläutern, als mit ihrer Materi wie der Quacksalber ihre Büchslin versehen oder besalbet waren, ließe ich sie einem von meinen Jungen dem Kürschner unten um sein Sekret[24] herumstreuen, als welches ziemlich weit hinauf offenstunde. Da nun der erbsenzählerische[25] Haushalter diese Klumpen Haar und Woll sonder[26] liegen sahe und sie for die seinige hielte, konnte er sich nicht anderst einbilden, als sein Weib müßte sie dergestalt verunehrt[27] und zuschanden gemacht haben; fienge derowegen an, mit ihr zu kollern[28], gleichsam als wann sie allbereit Mantua[29] und Casal[30] verwahrloset und verloren hätte, und weil sie ja so beständig als eine Hex leugnete und noch darzu trutzige Wort gab, schlug er sie so lederweich, als gelind er sonst anderer wilder und bissiger Tieren Felle bereiten konnte, der heimischen Katzenbalg zu geschweigen; welches mich so wohl kontentierte, daß ich kein Dutzend Kronen darfor genommen haben wollte.

Nun war der Apotheker noch übrig, der meines Vermutens

das Rezept verfertigt hatte, dardurch ich aus der Niedere ein so variable Stimme erheben müssen; dann er hielte Singvögel, die solche Sachen zur Speise genossen, so die Würkungen haben sollen, einen Lärmen zu erregen, wie ich allererst einen erzählet. Weil er aber bei hohen und niedern Offiziern wohl dran war[31], zumaln wir ihn täglich bei unseren Kranken, die den italienischen Luft nicht wohl vertragen konnten, brauchen mußten, ich auch selbst zu sorgen, ich möchte ihm etwan heut oder morgen in die Kur kommen, als' dorfte ich mich nicht kecklich an ihn reiben. Gleichwohl wollte und konnte ich so viel Luftkerls, die zwar vorlängst wieder in der Luft zerstoben waren, ohngerochen[32] nicht vertauen, obwohl sie auch andere riechen mußten, da gleichwohl sie selbst schon vertauet waren. Er hatte einen kleinen, gewölbten Nebenkeller unter seinem Hause, darin er allerhand War enthielte, die zu ihrer Aufenthaltung einen solchen Ort erforderten. Dahinein richtete ich das Wasser aus dem Rohrbrunnen, der auf dem Platz zunächst dabeistunde, durch einen langen Ochsendarm, den ich am Brunnenröhrn anbande, mit dem andern Ende aber zum Kellerloch hineinhenken und also das Brunnenwasser die ganze, lange Winternacht so ordentlich hineinlaufen ließe, daß der Keller am Morgen geschwappelt voll Wasser war. Da schwammen etliche Fäßlein Malvasier, spanischer Wein und was sonst leicht war; was aber nit schwimmen konnte, lag mannstief unter dem Wasser zu verderben; und demnach ich den Darm vor Tags wieder hinwegnehmen ließe, vermeinte jedermann des Morgens, es wäre entweder im Keller eine Quell entsprungen oder dieser Posse seie dem Apotheker durch Zauberei zugerichtet worden. Ich aber wußte es zum besten, und weil ich alles so wohl ausgerichtet, lachte ich in die Fäuste, als der Apotheker um seine verderbte Materialia lamentierte. Und damals war mir's gesund, daß der Name »Courage« bei mir so tief eingewurzelt gewesen, dann sonst hätten mich die unnütze Bursch ohne Zweifel die Generalfarzerin[33] genannt, weil ich's besser als andere gekönnt.

Das XIIX. Kapitel

Gar zu übermachte[1] Gottlosigkeit der gewissenlosen Courage.

Der Gewinn, der mir in so mancherlei Hantierungen zugieng, tät mir so sanft, daß ich dessen je länger, je mehr begehrte; und gleichwie es mir allbereit eines Dings[2] war, ob es mit Ehren oder Unehren geschehe, also fieng ich's auch an nicht zu achten, ob es mit Gottes oder des Mammons Hülf besser prosequiert[3] werden möchte. Einmal[4], es galt mir endlich gleich, mit was für Vorteilen, mit was für Griffen, mit was für einem Gewissen und mit was für Hantierungen ich prosperierte[5], wann ich nur reich werden möchte. Mein Springinsfeld mußte einen Roßtäuscher abgeben, und was er nit wußte, das mußt er von mir lernen, in welcher Profession ich mich tausenterlei Schelmstücke, Diebsgriff und Betrüge gebrauchte. Keine War, weder von Gold, Silber, Edelgesteinen, geschweige des Zinns, Kupfers, Getüchs, der Kleidung und was es sonst sein mögen, es wäre gleich rechtmäßig erbeutet, geraubet oder gar gestohlen gewesen, war mir zu köstlich oder zu gering, daß ich nicht daran stunde, solches zu erhandeln. Und wann einer nicht wußte, wohin mit demjenigen, das er zu versilbern, er hätte es gewonnen, wie er wollte, so hatte er einen sichern Zutritt zu mir wie zu einem Juden, die den Dieben getreuer sein, sie zu konserviern[6], als ihrer Obrigkeit, selbige zu strafen. Dannenhero waren meine beide Wägen mehr einem Materialistenkram[7] gleich, als daß man nur kostbare Victualia[8] bei mir hätte finden sollen, und ebendeswegen konnte ich hinwiederum auch einem jedwedern Soldaten, er wäre gleich hoch oder nieder gewest, mit demjenigen ums Geld helfen, dessen er benötigt war; hingegen mußte ich auch spendieren und schmieren, um mich und meine Hantierungen zu beschützen: der Profos[9] war mein Vater, seine alte Merr[10] (»seine alte Frau«, wollt ich sagen) meine Mutter, die Obristin meine gnädige Frau und der Obrist selbst mein gnädiger Herr, welche mich alle vor allem

demjenigen sicherten, dardurch ich und mein Anhang oder auch meine Handelschaft einbüßen mögen.
Einsmals brachte mir ein alter Hühnerfänger, ich wollte sagen »so ein alter Soldat«, der lang vor dem böhmischen Unwesen eine Musket getragen hatte, so etwas in einem verschlossenen Gläslein, welches nicht recht einer Spinnen und auch nicht recht einem Skorpion gleichsahe. Ich hielt es for keine Insekt oder lebendige Kreatur, weil das Glas keinen Luft hatt, dardurch das beschlossene Ding sein Leben hätte erhalten mögen, sondern vermeinte, es wäre irgends ein Kunststuck eines vortrefflichen Meisters, der solches zugerichtet, um dardurch ein Gleichnus, ich weiß nit, von was for einer ewigwährenden Bewegung, vorzustellen, weil sich dasselbe ohn Unterlaß im Glas regte und herumgrabbelte. Ich schätzte es hoch, und weil mir's der Alte zu verkaufen anbote, fragte ich, wie teuer. Er bote mir den Bettel um zwo Kronen, die ich ihm auch alsobalden darzahlte, und wollte ihm noch ein Feldmaß Wein darzuschenken; er aber sagte, die Bezahlung seie allbereit zu Genügen geschehen, welches mich an einem solchen alten Weinbeißer verwunderte und verursachte, ihn zu fragen, warum er einen Trunk ausschlüge, den ich doch einem jeden im Kauf zu geben pflegte, der mir nur das geringste verhandelte. »Ach, Frau Courage«, antwortet' er, »es ist hiermit nicht wie mit anderer War beschaffen: Sie hat ihren gewissen Kauf und Verkauf, vermög dessen die Frau zusehen mag, wann sie dies Kleinod wieder hingibt, daß sie es nämlich wohlfeiler verkaufe, als sie es selbsten erkauft hat.« Ich sagte, so würde ich auf solche Weis wenig daran gewinnen. Er antwortet': »Darum lasse ich sie sorgen. Was mich anbelangt, so hab ich's allbereit bei 30 oder mehr Jahren in Händen und noch keinen Verlust dabei gehabt, wiewohl ich's um 3 Kronen kauft und um 2 wieder hingeben.« Dies Ding war mir ein Gesag[11], darein ich mich nicht richten konnte oder vielleicht auch nicht richten wollte; dann weil ich ein satten Rausch zu gewarten hatte (ich würde etliche Abgesandte der Venere[12] abzufertigen kriegen), war mir's eine desto geringere Bekümmernus, oder (lieber Leser,

sag mir selbst, wie ich sagen soll) ich wußte nit, was ich mit dem alten Kracher machen sollte. Er deuchte mich nicht Manns genug zu sein, die Courage zu betrügen, und die Gewohnheit, daß mir andere, die ein besser Ansehen als dieser hatte, oft etwas um ein Dukaten hingeben, das deren hundert wert war, machte mich so sicher, daß ich mein erkauften Schatz einsteckte.

Des Morgens, da ich meinen Rausch verschlafen, fande ich meinen Kaufmannschatz in meinem Hosensack (dann man muß wissen, daß ich allzeit Hosen unter meinen Rock trug). Ich erinnerte mich gleich, welchergestalt ich das Ding kauft hatte, legte es derowegen zu andern meinen raren und lieben Sachen, als Ringen, Kleinodien und dergleichen, um solches aufzuheben, bis mir etwan ein Kunstverständiger an die Hand käme, der mich um seine Beschaffenheit berichtete. Als ich aber ungefähr[13] unter Tags wieder in meinen Sack griffe, fande ich dasselbe nicht, wohin ich's aufgehoben, sondern wieder in meinem Hosensack, welches mich mehr verwunderte als erschreckte, und mein Fürwitz, zu wissen, was es doch eigentlich wäre, machte, daß ich mich fleißig nach dessen Verkäufer umsahe, und als derselbe mir aufstieße[14], fragte ich ihn, was er mir zu kaufen gegeben hätte. Erzählte ihm darneben, was for ein Wunderwerk sich damit zugetragen, und bat ihn, er wollte mir doch desselben Wesen, Kraft, Würkung, Künste, und wie es umständlich damit beschaffen, nicht verhalten. Er antwortet': »Frau Courage! Es ist ein dienender Geist, welcher demjenigen Menschen, der ihn erkauft und bei sich hat, groß Glück zuwegen bringt. Er gibt zu erkennen, wo verborgene Sachen liegen; er verschafft zu jedwederer Handelschaft genugsame Kaufleute und vermehret die Prosperität; er macht, daß seine Besitzer von seinen Freunden geliebt und von seinen Feinden gefürchtet werden; ein jeder, der ihn hat und sich auf ihn verläßt, den macht er so fest als Stahl und behütet ihn vor Gefängnis; er gibt Glück, Sieg und Uberwindung wider die Feinde und bringt zuwegen, daß seinen Besitzer fast alle Welt lieben muß.« In Summa, der alte Lauer[15] schnitte mir so einen Haufen da-

her, daß ich mich glückseliger zu sein dauchte als Fortunatus[16] mit seinem Säckel und Wunschhütel! Weil ich mir aber wohl einbilden können, daß der sogenannte dienende Geist diese Gaben nit umsonst geben würde, so fragte ich den Alten, was ich hingegen dem Ding zu Gefallen tun müßte, dann ich hätte gehöret, daß diejenige Zauberer, welche andere Leute in Gestalt eines Galgenmännels bestehlen, das sogenannte Galgenmännel mit wochentlicher gewisser Badordnung und anderer Pfleg verehren müßten. Der Alte antwortet', es dörfte[17] des Dings hier gar nicht; es sei viel ein anders mit einem solchen Männel als mit einem solchen Ding, das ich von ihm gekauft hätte. Ich sagte, es wird ohne Zweifel mein Diener und Narr nicht umsonst sein wollen; er sollte mir nur kecklich und verträulich offenbaren, ob ich's so gar ohne Gefahr und auch so gar ohne Belohnung haben und solcher seiner ansehenlichen Dienste ohne andere Verbindung und Gegendienste genießen könnte. »Frau Courage«, antwortet' der Alte, »Ihr wißt bereits genug, daß Ihr's nämlich um geringern Preis hingeben sollt (wann Ihr dessen Diensten müd seid), als Ihr's selbsten erkauft habt, welches ich Euch gleich damals, als Ihr mir's abgehandelt, nicht verhalten[18] habe; die Ursach zwar, warum, mag die Frau von andern erfahren.« Und damit gieng der Alte seines Wegs.
Meine böhmische Mutter war damals mein innerster Rat, mein Beichtvater, mein Favorit, mein bester Freund und mein Sabud Salomonis[19], ihr vertrauet ich alles und also auch, was mir mit dem erkauften Markschatz[20] begegnet wäre. »He«, antwortet' sie, »es ist ein Stirpitus flammiliarum[21], der alles dasjenige leistet, was Euch der Verkaufer von ihm erzählet; allein wer ihn hat, bis er stirbt, der muß, wie mir gesagt worden, mit ihm in die ander Welt reisen, welches ohne Zweifel seinem Namen nach die Höll sein wird, allwo es voller Feuer und Flammen sein soll; und ebendeswegen läßt er sich nicht anderst als je länger, je wohlfeiler verkaufen, damit ihm endlich der letzte Kaufer zuteil werden müsse; und Ihr, liebe Tochter, stehet in großer Gefahr, weil Ihr ihn zum allerletzten zu verkaufen habt; dann wel-

cher Narr wird ihn von Euch kaufen, wann er ihn nit mehr verkaufen darf, sondern eigentlich weiß, daß er seine Verdammnus von Euch erhandelt?« Ich konnte leichtlich erachten, daß mein Handel schlimm genug bestellt war; doch machte mein leichter Sinn, meine blühende Jugend, die Hoffnung eines langen Lebens und die gemeine Gottlosigkeit der Welt, daß ich alles auf die leichte Achsel nahm; ich gedachte: »Du willst dieser Hülfe, dieses Beistands und dieser glückseligen Avantage[22] genießen, solang du kannst; indessen findest du wohl einen leichtfertigen Gesellen in der Welt, der entweder beim schweren Trunk oder aus Armut, Desperation[23], blinder Hoffnung großen Glückes oder aus Geiz, Unkeuschheit, Zorn, Neid, Rachgier oder etwas dergleichen diesen Gast wieder von dir um die Gebühr annimmt.«
Diesen nach gebrauchte ich mich dessen Hülf in aller Maß und Form, wie er mir beides, von dem alten Verkäufer als auch meiner Kostfrauen oder angenommenen böhmischen Mutter beschrieben worden. Ich verspürte auch seine Würkung täglich; dann wo ein Markedenter ein Faß Weins auszapfte, vertrieb[24] ich deren drei oder vier; wo ein Gast einmal meinen Trank oder meine Speise kostete, so bliebe er das andermal nit aus; welchen ich ansahe und wünschte, seiner zu genießen, derselbe war gleich fix und fertig, mir in der alleruntertänigsten Andacht aufzuwarten, ja mich fast wie eine Göttin zu ehren; kam ich in ein Quartier, da der Hauswirt entflohen, oder daß es sonsten ein Herberg oder verlassene Wohnung war, darin sonst niemand wohnen konnte (maßen man die Markedenter und Kommißmetzger in keinem Palast zu logieren pfleget), so fande ich gleich, wo das Messer steckte, und, weiß nit, durch was for ein innerliches Einsprechen, solche Schätze zu finden, die in vielen, vielleicht 100 Jahren keine Sonne beschienen etc. Hingegen kann ich nicht leugnen, daß auch etliche waren, die der Courage nichts nachfragten, sondern sie viel mehr verachtten, ja verfolgten als ehreten, ohne Zweifel darum, weil sie von einem größeren Lumen[25] erleuchtet, als ich von meinem Flamine[26] betört gewesen. Solches machte mich zwar witzig[27]

und lernete mich durch allerhand Nachdenken, Philosophiern und Betrachten, wie, was und dergleichen. Ich war aber allbereit in der Gewinnsüchtigkeit und allen ihren nachgehenden Lastern dermaßen ertränkt, daß ich's bleiben ließe, wie es war, und nichts zum Fundament zu raumen gedachte, darauf meine Seligkeit bestunde, wie auch noch. Dies, Simplice, sage ich dir zum Uberfluß, dein Lob zu bekrönen, weil du dich in deiner Lebensbeschreibung gerühmt hast, einer Damen im Saurbrunnen genossen zu haben, die du doch noch nicht einmal kanntest.
Indessen wurde mein Geldhaufen je länger, je größer, ja so groß, daß ich mich auch bei meinem Vermögen fürchtete!
Höre, Simplice, ich muß dich wieder etwas erinnern. Wärest du etwas nutz gewest, als wir miteinander im Sauerbrunnen das Verkehren spielten, so wärest du mir weniger ins Netze geraten als diejenige, die im Schutz Gottes waren, da ich den Spirit. famil. hatte.

Das XIX. Kapitel

Was Springinsfeld for einen Lehrmeister gehabt, bis er zu seiner Perfektion kommen.

Und noch ein anders mußt du auch wissen, Simplice! Nicht nur ich gieng den obenerzählten Weg, sondern auch mein Springinsfeld (den du allerdings for deinen besten Kameraten und for einen praven Kerl in deiner Lebensbeschreibung gerühmt hast) mußte mir auch folgen! Und was wollt's gehindert haben oder for ein großes Meerwunder gewesen sein? Sintemal andere meinesgleichen lose Weiber ihre liederliche Männer (wann ich anders Männer sagen darf, ich hätte aber schier »fromme Männer« gesagt) eben zu dergleichen losen Stücken vermögen (ich will nicht sagen »zwingen«), ob sie gleich bei ihrer Vermählung keinen solchen Akkord eingangen, wie Springinsfeld getan. Höre die Histori:

Als wir vor dem berühmten Casal[1] lagen, fuhren ich und Springinsfeld in eine benachbarte Grenzstadt, die neutral war, Viktualia einzukaufen und in unser Läger zu bringen; gleichwie nun aber ich in dergleichen Fällen nicht allein ausgieng, als ein Nachkömmling der hierosolymitanischen Bürger[2] zu schachern, sondern auch, als ein zyprianische Jungfrau[3] meinen Gewinn zu suchen, also hatte ich mich auch wie eine Jesebel[4] herausgebutzt und galte mir gleich, ob ich einen Ahab oder Jehu verführen möchte. Zu solchem Ende gieng ich in eine Kirche, weil ich mir sagen lassen, die meinste Buhlschaften würden in Italia an solchen heiligen Örtern gestiftet und zu Faden geschlagen[5], aus Ursach, daß man die schöne Weiber daselbsten, so liebeswürdig zu sein scheinen, sonst nirgends hinkommen lasse. Ich kam neben eine junge Dame zu stehen, mit deren Schönheit und Schmuck ich zugleich eiferte, weil mich derjenige nicht ansahe, der ihr so manchen liebreichenden Blick schenkte. Ich gestehe es, daß mich im Herzen verdroß, daß sie mir vorgezogen und ich vor einem Leimstängler[6] gegen ihr, wie ich mir einbildete, verachtet werden sollte! Solcher Verdruß, und daß ich mich zugleich auf eine Rache bedacht, war meine größte Andacht unter dem ganzen Gottesdienst. Ehe nun solcher gar geendigt war, stellte sich mein Springinsfeld auch ein; ich weiß aber darum nit, warum; kann auch schwerlich glauben, daß ihn die Gottesfurcht dahin getrieben, dann ich hatte ihn nicht darzu gewöhnet; so war's ihm auch weder angeborn noch aus Lesung der heiligen Schriften oder Hörung der Predigten eingepflanzt; nichtsdestoweniger stellte er sich neben mich und kriegte den Befehl von mir in ein Ohr, daß er Achtung geben sollte, wo gemeldte Dame ihre Wohnung hätte, damit ich des überaus schönen Smaragds, den sie am Hals hatte, habhaft werden möchte.

Er tät seinem schuldigen Gehorsam gemäß wie ein treuer Diener und hinterbrachte mir, daß sie eine vornehme Frau eines reichen Herrn wäre, der sein Palatium[7] an dem Markt stehen hätte; ich hingegen sagte ihm austrücklich, daß er fürderhin weder meiner Huld länger genießen noch meinen

Leib einigmal mehr berühren sollte, es wäre dann Sach, daß er mir zuvor ihren Smaragd einhändigte, worzu ich ihm aber sichere Anschläg, Mittel und Gelegenheit an die Hand geben wollte. Er kratzte sich zwar hinter den Ohren und entsetzte sich vor meinem Zumuten als wie vor einer unmüglichen Sach; aber da es lang herumgieng[8], erklärt' er sich, meinetwegen in Tod zu gehen.

Solchergestalt, Simplice, hab ich deinen Springinsfeld gleichsam wie einen jungen Wachtelhund abgerichtet. Er hatte auch die Art darzu und vielleicht besser als du, wäre aber nimmermehr von ihm selbsten zu einem solchen Ausbund worden, wann ich ihn nicht in meiner Schul gehabt hätte.

Eben damals mußte ich mir wieder einen neuen Stiel in meinen Fausthammer machen lassen, welchen ich beides, for ein Gewehr und einen Schlüssel brauchte, der Bauren Trög oder Kästen zu öffnen, wo ich zukommen konnte. Ich ließe denselben Stiel inwendig hohl drehen in gemessener Weite, daß ich entweder Dukaten oder eine Schiedmünz in selbiger Größe hineinpacken möchte; dann weil ich selbigen Hammer jederzeit bei mir zu haben pflegte (indem ich weder ein Degen dorfte oder ein Paar Pistolen mehr führen wollte), so gedachte ich ihn inwendig mit Dukaten zu spicken, die ich auf alle Glücks- oder Unglücksfäll (deren es unterschiedliche im Krieg abgibt) bei der Hand hatte. Da er fertig, probierte ich seine Weite mit etlichen Lutzern[9], die ich zu mir genommen, solche um ander Geld zu veralienieren[10]; die Hohle meines Stabs hatte eben die Weite ihres Bezirks[11], doch also eng und beschnitten, daß ich sie, die Lutzer, um etwas hineinnötigen mußte, doch bei weitem nicht so stark, als wann man eine halbe Kartaunen[12] laden tut. Ich konnte aber den Stiel nicht damit ausfüllen, weil ihrer zu wenig waren; dahero kam's gar artlich, daß, wann die Lutzer gegen dem Hammer lagen und ich das Eisen in der Hand hatte, mich des Stiels anstatt eines Steckens zu gebrauchen, daß zuweilen, wann ich mich darauf steuerte[13], etlich Lutzer herunter gegen der Handhaben[14] klunkerten[15] und ein dünsteres[16] Geklingel machten, welches seltzam und verwunderlich genug lautete,

weil niemand wußte, woher das Getön rührete. Was darf's vieler weitläuftigen Beschreibung? Ich gab meinem Springinsfeld den Fausthammer mit einer richtigen Instruktion, welchergestalt er mir den Smaragd damit erhandeln sollte.
Darauf verkleidete sich mein Springinsfeld, setzt' eine Parücke auf, wickelt' sich in einen entlehnten, schwarzen Mantel und tät zween ganzer Tag nichts anders, als daß er gegen der Damen Palatio hinüber stunde und das Haus vom Fundament an bis übers Dach hinaus beschauete, gleichsam als ob er's hätte kaufen wollen. So hatte ich auch einen Tambour im Taglohn bestellt, welcher ein solcher Erzessig war, mit dem man andere Essig hätte sauer machen können; der dorfte auch sonst im geringsten nichts tun, als auf dem Platz herumvagieren und auf meinen Springinsfeld Achtung zu geben, wann er etwan seiner notwendig bedörfte, dann der Vogel redete so gut italienisch als teutsch, welches aber jener nicht konnte. Ich selbsten aber hatte ein Wasser (hier ohnnötig zu nennen) durch einen Alchimisten zuwegen gebracht, das in wenig Stunden alle Metalla durchfrißt und mürb macht oder wohl gar auch zu Wasser resolviert[17]. Mit demselben bestrich ich ein stark Gegitter vor einem Kellerloch. Als nun den dritten Tag Springinsfeld noch nit abließe, das Haus anzugaffen wie die Katz ein neu Scheuertor, siehe, da schickte angeregte[17a] Dame hin und ließe fragen um die Ursach seines kontinuierlichen Dastehens und was er an ihrem Haus auszukundschaften hätte. Springinsfeld hingegen ließe bemeldten Tambour kommen und dolmetschen, daß ein solcher Schatz im Hause verborgen läge, den er nicht allein[17b] zu erheben, sondern auch eine ganze Stadt damit reich zu machen getrauete. Hierauf ließe die Dame beides, den Springinsfeld und den Tambour zu sich ins Hause kommen, und nachdem sie wieder von dem verborgenen Schatz Springinsfelds Lügen angehört und große Begierden geschöpft, solchen zu holen, fragte sie den Tambour, was dieser for einer wäre, ob er ein Soldat sei und dergleichen etc. »Nein«, antwortet' der Tausendschelm, »er ist ein halber Schwarzkünstler, wie man sagt, und hält sich nur zu dem Ende bei der Armee auf, damit er

verborgene Sachen finde, hat auch, wie ich gehört, in Teutschland auf alten Schlössern ganze eiserne Trög und Kästen voll Geld gefunden und zuwegen gebracht.« Im übrigen aber seie er, Springinsfeld, ihme, Tambour, gar nicht bekannt.
In Summa, nach langem Diskurs wurde die Glock gegossen[18] und beschlossen, daß Springinsfeld den Schatz suchen sollte. Er begehrte zwei geweihte Wachsliechter; er selbst aber zündete das dritte an, welches er bei sich hatte und vermittelst eines messenen[19] Drahts, der durch die Kerze gieng, ausleschen konnte, wann er wollte. Mit diesen dreien Liechtern giengen die Dame, zweeen ihrer Diener, Springinsfeld und der Tambour, im Haus herumzuleuchten, weil eben der Herr nicht zu Haus war, dann Springinsfeld hatte sie überredet, wo der Schatz läge, da würde seine Kerzen von sich selbst ausgehen. Da sie nun viel Winkel also prozessionsweis durchstrichen und Springinsfeld an allen Orten, da sie hingeleuchtet, wunderbarliche Wörter gebrummelt, kamen sie endlich in den Keller, allwo ich das eiserne Gegitter mit meinem A. R.[20] befeuchtet hatte. Da stunde Springinsfeld vor einer Mauer, und indem er seine gewöhnliche Zeremonien machte, zuckte er sein Liecht aus. »Da! Da!« ließe er durch den Tambour sagen, »liegt der Schatz eingemauret!« Brummelte darauf noch etliche närrische Wörter und schlug etlichmal mit meinem Fausthammer an die Mauer, davon die Lutzer nach und nach, so manchen Streich er an die Mauer tät, herunterrollten und ihr gewöhnliches Getön machten. »Höret ihr«, sagte er darauf, »der Schatz hat abermal verblühet[21], welches alle sieben Jahr einmal geschiehet. Er ist zeitig und muß ausgenommen werden, dieweil die Sonne noch im Igel[22] gehet, sonst wird's künftig vor Verfließung anderer sieben Jahr umsonst sein.« Weil nun die Dame und ihre beide Diener 1000 Eid geschworen hätten, das Geklingel wäre in der Mauer gewesen, als' stellten sie meinem Springinsfeld völligen Glauben zu, und die Dame begehrte an ihn, er wollte um die Gebühr den Schatz erheben, wollte auch gleich um ein Gewisses mit ihm akkordiern. Als er sich aber hören ließe, er pflege in dergleichen Fällen nichts zu heischen noch zu

nehmen, als was man ihm mit gutem Willen gebe, ließe es die Dame auch dabei bewenden mit Versicherung, daß sie ihn dergestalt kontentiern wollte, daß er damit zufrieden sein würde.

Demnach begehrte er 17 erlesene Körner Weihrauch, vier geweihte Wachskerzen, acht Ellen vom besten Scharlach, einen Diamant, einen Smaragd, einen Rubin und einen Saphir, welche Kleinodien ein Weibsbild beides, in ihrem jungfräulichen und fräulichen Stand am Halse getragen hätte; zweitens sollte er alleinig in den Keller geschlossen oder versperrt und von der Damen selbst der Schlüssel zur Hand genommen werden, damit sie sowohl um ihre Edelgestein und den Scharlach versichert sein als auch er, bis er den Schatz glücklich zur Hand gebracht, unverhindert und ohnbeschrien[23] verbleiben möchte. Hierauf gab man ihm und dem Tambour eine Kollation[24] und ihme, Tambour, wegen seines Dolmetschens ein Trinkgeld. Indessen wurden die begehrte Zugehörungen herbeigeschafft, nach solchen Springinsfeld in Keller verschlossen, woraus unmüglich schiene, einen Kerl zu entrinnen[25], dann das Fenster oder Tagelicht, so auf die Gasse oder den Platz gieng, war hoch und noch darzu mit gedachtem eisernen Gegitter wohl verwahret. Der Dolmetsch aber ward fortgelassen, welcher gleich zu mir kam und mir allen Verlauf berichtete.

Weder ich noch Springinsfeld verschliefen die rechte Zeit, darin die Leute am härtesten zu schlafen pflegen, sondern nachdem ich das Gegitter so leicht als einen Rübschnitz[26] hinweggebrochen, ließe ich ein Seil hinunter zu meinem Springinsfeld in Keller und zoge ihn daran samt aller Zugehör zu mir herauf, da ich dann auch den verlangten schönen Smaragd fande.

Die Beut erfreuete mich bei weitem nicht so sehr als das Schelmstück, welches mir so wohl abgangen war. Der Tambour hatte sich bereits den Abend zuvor schon aus der Stadt gemacht; mein Springinsfeld aber spazierte den Tag nach vollbrachter Schatzerhebung mit andern in der Stadt herum, die sich über den listigen Dieb verwunderten, eben als man unter den Toren Anstalt machte, solchen zu erhaschen. Und nun siehe, Simplice, solchergestalt ist deines Springinsfelds Dexterität[27] durch mich zuwegen gebracht und ausgeübet worden. Ich erzähle dir auch dieses nur zum Exempel; dann wann ich dir alle Buben- und Schelmenstück sagen sollte, die er mir zu Gefallen werkstellig machen müssen, so dorfte ich wetten, es würde mir und dir, wiewohl es lustige Schosen[28] seind, die Zeit zu lang werden. Ja wann man alles beschreiben sollte, wie du deine Narrenpossen beschrieben hast, so würde es ein größer und lustiger Buch abgeben als deine ganze Lebensbeschreibung; doch will ich dich noch ein kleines lassen hören.

Das XX. Kapitel

Welchergestalt Springinsfeld und Courage zween Italiener bestohlen.

Als wir uns versahen, wir würden noch lang vor Casal liegenbleiben müssen, lagen wir nit nur in Zelten, sondern ihrer viel baueten ihnen auch sonst Hütten aus andern Materialien, sich desto besser in die Länge zu behelfen. Unter anderen Schacherern befanden sich zween Mailänder im Lager, die hatten ihnen eine Hütte von Brettern zugerichtet, ihre Kaufmannswaren desto sicherer darin zu verwahren, welche da bestunde in Schuhen, Stiefeln, Kollern, Hemdern und sonst allerhand Kleidungen, beides, for Offizierer und gemeine Soldaten zu Roß und Fuß. Diese täten mir meines Bedunkens viel Abtrag und Schaden, indem sie nämlich von den Kriegsleuten allerhand Beuten von Silbergeschmeid und Jubeln[1] um den halben, ja den vierten Teil ihres Werts an sich erhandelten, welcher Gewinn mir zum Teil zukommen wäre, wann sie nit vorhanden gewesen. Solches nun gedachte ich an ihnen aufs wenigst zu wuchern[2], weil in meiner Macht nit stunde, ihnen das Handwerk gar niederzulegen.

Unten in der Hütten war die Behaltnus ihrer War, und

dasselbige war auch zugleich ihr Gaden[3]; oben auf dem Boden aber unter dem Dach war ihr Liegerstatt, allwo sie schliefen, wohinauf ungefähr sieben oder acht Staffeln[4] giengen; und durch den Boden hatten sie ein offenes Loch gelassen, um dadurch nicht allein desto besser zu hören, wann etwan Mauser einbrächen, sie zu bestehlen, sondern auch solche Diebe mit Pistolen zu bewillkommen, mit welchen sie trefflich versehen waren. Als ich nun selbst wahrgenommen, wie die Tür ohne sonderlichen Rumor aufzumachen wäre, machte ich meinen Anschlag gar gering[5]. Mein Springinsfeld mußte mir eine Welle[6] scharpfer Dörner in Mannslänge zuwegen bringen, woran auch beinahe ein Mann zu tragen hatte, und ich füllete eine messene[7] Spritze, die eine Feldmaß hielte, mit scharpfem Essig; also versehen giengen wir beide an die gedachte Hütte, als jedermann im besten Schlaf war. Die Tür in der Stille zu öffnen war mir gar keine Kunst, weil ich zuvor alles fleißig abgesehen; und da solches vollbracht und geschehen, stackte Springinsfeld die Dornwell vor die Stiegen, als welche for sich selbst keine Tür hatte, von welchem Geräusch beide Italiener erwachten und zu rumpeln anfiengen. Wir konnten uns wohl einbilden, daß sie zum ersten zu obigen Loch herunterschauen würden, als dann auch geschahe; ich aber spritzte dem einen die Augen alsobald so voller Essig, daß ihm seine Vorsichtigkeit[8] in einem Augenblick vergieng; der ander aber liefe im Hembd und Schlafhosen die Stiegen hinunter und wurde von der Dornwell so unfreundlich empfangen, daß er gleichwie auch sein Kamerad in solcher unversehenen Begebenheit und großem Schrecken sich nichts anders einbilden konnten, als es wäre eitel Zauberei und Teufelsgespenst vorhanden. Indessen hatte Springinsfeld ein Dutzed zusammengebundene Reuterkoller[9] erwischt und sich damit fortgemacht; ich aber ließe mich mit einem Stück Leinwat genügen, drehete mich damit aus[9a] und schlug die Tür hinter mir wieder zu, die beide Welsche also in ihrer Anfechtung hinterlassen, wovon der eine ohne Zweifel die Augen noch gewischt, der ander aber noch mit seiner Dornwell zu handeln gehabt haben wird.

Schaue, Simplice, so konnte ich's! Und also habe ich den Springinsfeld nach und nach abgerichtet. Ich stahle, wie gehöret, nicht aus Not oder Mangel, sondern mehrenteils darum, damit ich mich an meinen Widerwärtigen[10] revanchieren möchte; Springinsfeld aber lernete indessen die Kunst und kam so meisterlich in die Griff, daß er sich unterstanden hätte, alles zu mausen, es wäre dann gar mit Ketten an das Firmament geheftet gewesen[11]. Und ich ließe ihn solches auch treulich genießen, dann ich gönnete ihm, daß er einen eigenen Säckel haben und mit dem halben gestohlenen Gut (maßen wir solche Eroberungen miteinander teilten) tun und handeln dörfte, was er wollte. Weil er aber trefflich auf das Spielen verpicht war, so kam er selten zu großem Geld; und wann er gleich zuzeiten den Anfang zu einer ziemlichen Summa zuwegen brachte, so verblieb er jedoch die Länge nicht in Possession[12], sintemal ihm sein unbeständig Glück das Fundament zum Reichtum durch den unbeständigen Würfel jederzeit wieder hinwegzwackte. Im übrigen verblieb er mir ganz getreu und gehorsam, also daß ich mir auch keinen besseren Sklaven in der ganzen Welt zu finden getrauet hätte. Jetzt höre auch, was er damit verdienet, wie ich ihm gelohnet und wie ich mich endlich wieder von ihm geschieden.

Das XXI. Kapitel

Erzählung eines Treffens, welches im Schlaf vorgangen.

Kurz zuvor, ehe Mantua von den Unsrigen eingenommen wurde[1], mußte unser Regiment von Casal hinweg und auch in die mantuanische Belägerung. Daselbsten liefe mir mehr Wasser auf meine Mühl[2] als in dem vorigen Läger; dann gleichwie alldorten mehr Volk war, sonderlich Teutsche, also bekame ich auch mehr Kunden und Kundenarbeit, davon sich mein Geldhaufen wieder ein merkliches geschwinder vergrößerte, so daß ich etlichmal Wechsel nach Prag und anderswohin in die teutsche Reichsstädte übermachte; bei welcher glücklichen Prosperität, großen täglichen Gewinn und genugsamen Uberfluß, dessen ich und mein Gesindel[3] genossen, da sonst mancher Hunger und Mangel leiden mußte, mein Springinsfeld anfienge, allerdings das Junkernhandwerk zu treiben: Er wollte eine tägliche Gewohnheit daraus machen, nur zu fressen und zu saufen, zu spielen und zu spazieren zu gehen und zu faulenzen, und ließe allerdings die Handelschaft der Markedenterei und die Gelegenheiten, sonsten irgend etwas zu erschnappen, ein gut Jahr haben[4]. Überdas hatte er auch etliche ungeratene und verschwenderische Kameraten an sich gehängt, die ihn verführten und zu allem demjenigen untüchtig machten, worzu ich ihn zu mir genommen und auf allerlei Art und Weise abgeführet[5] hatte. »Ha«, sagten sie, »bist du ein Mann und läßt deine Hur beides, über dich und das Deinige Meister sein? Es wäre noch genug, wann du ein böses Eheweib hättest, von deren du dergleichen leiden müßtest. Wann ich in deinem Hembd verborgen stäke, so schlüg ich sie, bis sie mir parierte, oder jagte sie for aller Teufel hinweg . . .« etc. Solches alles vernahm ich beizeiten mit großem Unwillen und Verdruß und gedacht auf Mittel und Weg, wie ich meinen Springinsfeld möchte ins Feld springen machen, ohne daß ich mich im geringsten etwas dergleichen gegen ihm oder seinem Anhang hätte vermerken lassen. Mein Gesind (darunter ich auch vier starke Trämel[6] zu Knechten hatte) war mir getreu und auf meiner Seiten; alle Offizierer des Regiments waren mir nit übel gewogen; der Obrist selbst wollte mir wohl und die Obristin noch viel besser, und ich verbande mir alles noch mehrers mit Verehrungen, wo ich vermeinte, daß ich Hülf zu meinem künftigen Hauskrieg zu hoffen hätte, dessen Ankündigung ich stündlich von meinem Springinsfeld gewärtig war.

Ich wußte wohl, daß der Mann (welchen mir Springinsfeld aber nur pro forma repräsentieren mußte) das Haupt meiner Markedenterei darstellte und daß ich unter dem Schatten seiner Person in meiner Handelschaft agierte, auch daß ich bald ausgemarkedentert haben würde, wann ein solches

Haupt mir mangelte. Derohalben gieng ich gar behutsam; ich gab ihm täglich Geld, beides, zu spielen und zu pankettieren, nicht daß ich die Beständigkeit seiner vorigen Verhaltung bestätigen wollen, sondern ihn desto kirrer[7], verwegener und ausgelassener gegen mir zu machen, damit er sich dardurch verplumpen[8] und durch ein rechtschaffenes grobianisches Stückel dem Besitz meiner und des Meinigen sich unwürdig machen, mit einem Wort, daß er mir Ursach geben sollte, mich von ihme zu scheiden; dann ich hatte allbereit schon so viel zusammengeschunden und verdienet, zumalen auch anderwärtshin in Sicherheit gebracht, daß ich mich weder um ihn noch die Markedenterei, ja um den ganzen Krieg und was ich noch darin kriegen und hinwegnehmen konnte, wenig mehr bekümmerte.
Aber ich weiß nicht, ob Springinsfeld das Herz nicht hatte, seinen Kameraten zu folgen, um die Oberherrschaft offentlich von mir zu begehren, oder ob er sonst in erzähltem seinem liederlichen Leben unachtsamerweis fortfuhre; dann er stellte sich gar freundlich und demütig und gab mir niemalen kein sauern Blick, geschweige ein böses Wort! Ich wußte sein Anliegen wohl, worzu ihn seine Kameraten verhetzt hatten; ich konnte aber aus seinen Werken nicht spüren, daß er etwas dergleichen wider mich zu unterstehen bedacht gewesen wäre. Doch schickte sich's endlich wunderbarlich, daß er mich offendierte, wessentwegen wir dann, es sei ihm nun gleich lieb oder leid gewesen, voneinander kamen.
Ich lag einsmals neben ihm und schlief ohne alle Sorg, als er eben mit einem Rausch heimkommen war. Siehe, da schlug er mich mit der Faust von allen Kräften ins Angesicht, daß ich nicht allein darvon erwachte, sondern das Blut liefe mir auch häufig[9] zum Maul und der Nasen heraus und wurde mir von selbigem Streich so törmisch[10] im Kopf, daß mich noch wunder gibt, daß er mir nit alle Zähn in Hals geschlagen. Da kann man nun wohl erachten und abnehmen, was ich ihm for eine andächtige Letenei[11] vorbetete; ich hieße ihn einen Mörder und was mir sonst noch mehr dergleichen ehrbaren Titul ins Maul kommen. Er hingegen sagte: »Du

Hundsf.[12], warum lässest du mir mein Geld nicht? Ich hab es ja redlich gewonnen!« und wollte noch immer mehr Stöße hergeben, also daß ich zu schaffen hatte, mich deren zu erwehren, maßen wir beede im Bette aufrecht zu sitzen kamen und gleichsam anfiengen miteinander zu ringen; und weil er noch fort und fort Geld von mir haben wollte, gabe ich ihm eine kräftige Ohrfeigen, die ihn wieder niederlegte. Ich aber wischt zum Zelt hinaus und hatte ein solches Lamentieren, daß nit nur meine Mutter und übriges Gesind, sondern auch unsere Nachbaren davon erwachten und aus ihren Hütten und Gezelten hervorkrochen, um zu sehen, was da zu tun oder sonst vorgangen wäre. Dasselbe waren lauter Personen vom Stab, als welche gemeiniglich hinter die Regimenter zu den Markedenter logiert werden, nämlich der Kaplan, Regimentsschultheiß, Regimentsquartiermeister, Proviantmeister, Profos, Henker, Hurenweibel[13] und dergleichen; denen erzählet ich ein langs und ein breits, und der Augenschein gab auch, wie mich mein schöner Mann ohne einige Schuld und Ursach traktiert; mein angehender[14] milchweißer Busen war überall mit Blut besprengt, und des Springinsfelds unbarmherzige Faust hatte mein Angesicht, welches man sonst niemalen ohne lustreizende Lieblichkeiten gesehen, mit einem einzigen Streich so abscheulich zugerichtet, daß man die Courage sonst nirgendsbei als an ihrer erbärmlichen Stimme kennete, unangesehen niemands vorhanden war, der sie anderwärts jemalen hätte klagen hören. Man fragte mich um die Ursach unserer Uneinigkeit und daraus erfolgten Schlacht. Weil[15] ich nun allen Verlauf erzählte, vermeinte der ganze Umstand, Springinsfeld müßte unsinnig worden sein; ich aber glaubte, er habe dieses Spiel aus Anstiftung seiner Kameraten und Saufbrüder angefangen, um mir erstlich hinter die Hosen, zweitens hinter die Oberherrlichkeit und letztlich hinter meines vielen Gelds zu kommen. Indem wir nun so miteinander bappelten[16] und etliche Weiber umgiengen[17], mir das Blut zu stellen, grabbelte[18] Springinsfeld auch aus unserem Zelt. Er kam zu uns zum Wachtfeuer, das bei des Obristen Bagage brannte, und wußte beinahe nicht Wort genug zu ersinnen und vorzubringen, mich und jedermann wegen seines begangenen Fehlers um Verzeihung zu bitten; es mangelte wenig, daß er nicht vor mir auf die Knie niederfiel, um Vergebung und die vorige Huld und Gnad wieder von mir zu erlangen. Aber ich verstopfte die Ohren und wollte ihn weder wissen noch hören, bis endlich unser Obristleutenant von der Rund[19] darzukam, gegen welchen er sich erboten, einen leiblichen[20] Eid zu schwören, daß ihm geträumt hätte, er wäre auf dem Spielplatz gesessen, allwo ihm einer um eine ziemliche Schanz[21] auf dem Spiel gestandenen Gelds unrecht tun wollen, gegen welchem er deswegen geschlagen und wider seinen Willen und Meinung seine liebe, unschuldige Frau im Schlaf getroffen. Der Obristleutenant war ein Kavalier, der mich und alle Huren wie die Pest haßte, hingegen aber meinem Springinsfeld nit ohngewogen war; derowegen sagte er zu mir, ich sollte mich wieder mit ihm alsobald in die Zelt packen und das Maul halten oder er wollte mich zum Profosen setzen und wohl gar, wie ich vorlängsten verdient, mit Ruten aushauen lassen.

»Potz Blech, das ist ein herber Sentenz[22], dieser Richter[23] nicht viel!« gedachte ich bei mir selber, »aber es schadet nichts; bist du gleich Obristleutenant und beides, vor meiner Schönheit und meinen Verehrungen schußfrei[24], so seind doch andere, und zwar deren mehr als deiner, die sich gar gern dadurch berücken lassen, mir recht zu geben.« Ich schwieg so still wie ein Mäusel, mein Springinsfeld aber auch, als dem er sagte, wann er noch mehrmal so kommen würde, so wollte er ihn bei Tag auf einmal dergestalt strafen um das, was er bei Nacht zu zweien Malen gegen mir gesündigt, daß er gewißlich das dritte Mal nicht wiederkommen würde. Uns beiden zugleich aber sagte er, wir sollten den Frieden machen, ehe die Sonne aufgieng, damit er den künftigen Morgen kein Ursach hätte, uns einen Tätigsmann[25] zu geben, aber über dessen Procedere[26] wir uns hinter den Ohren zu kratzen würden Ursachen haben. Also giengen wir wieder miteinander zu Bette und hatten beiderseits unsere Stöße, maßen ich dem Springinsfeld so wenig gefeiret[27] als er mir. Er bekräftigt' noch als[28] seinen gehabten Traum mit großen Schwüren, ich aber behauptete, daß alle Träume falsch wären, derentwegen ich aber nichtsdestoweniger keine falsche Maulschelle bekommen. Er wollte mit den Werken seine Liebe bezeugen, aber der empfangene Streich oder vielmehr, daß ich seiner gern los gewest wäre, entzogen ihm bei mir alle Willfährigkeit. Ja ich gab ihm auch den andern Tag nicht allein kein Geld mehr zum Spielen, sondern auch zum Saufen, und sonst wenig guter Wort; und damit er mir nicht hinter die Batzen[29] käme, die ich noch bei mir behalten, unser Handelschaft damit zu treiben, verbarg ich solche hinter meine Mutter, welche solche so tags, so nachts wohl eingenähet auf ihrem bloßen Leib tragen mußte.

Das XXII. Kapitel

Aus was Ursachen Springinsfeld und Courage sich gescheiden und wormit sie ihn zur Letze[1] begabt.

Gleich nach dieser unserer nächtlichen Schlacht stunde es wenig Zeit an, daß Mantua mit einem Kriegspossen[2] eingenommen wurde; ja der Fried[3] selbst zwischen den Röm. Kaiserl. und Franzosen, zwischen den Herzogen von Savoya[4] und Nivers[5] folgte ohnlängst hernach, gleichsam als wann der welsche Krieg mit unserm Treffen hätte geendigt werden müssen; und ebendeswegen giengen die Franzosen aus Savoya und stürmeten wieder in Frankreich, die kaiserl. Völker aber in Teutschland, zu sehen, was der Schwed machte, mit denen ich dann sowohl fortschlendern mußte, als wann ich auch ein Soldat gewesen wäre. Wir wurden, uns entweder zu erfrischen oder weil die rote Ruhr und die Pest selbst unter uns regierte, an einem Ort in den kaiserlichen Erblanden[6] etliche Wochen an die Tonau ins freie Feld mit unserem Regiment logiert, da es mir bei weitem nicht solche Bequemlichkeiten setzte wie in dem edlen Italia! Doch behalfe ich mich so gut, als ich konnte, und hatte mit meinem Springinsfeld (weil er mehr als eine Hundsdemut gegen mir verspüren ließe) den Frieden wiederum, doch nur pro forma, geschlossen; dann ich laurete täglich auf Gelegenheit, vermittelst deren ich seiner loswerden möchte.

Solcher mein inniglicher Wunsch widerfuhre mir folgendergestalt, welche Begebenheit genugsam bezeuget, daß ein vorsichtiger, verständiger, ja unschuldiger Mann, dem wachend und nüchtern weder Weib, Welt noch der Teufel selbst nicht zukommen kann, gar leichtlich durch seine eigene blöde Gebrechlichkeit schlaf- und weintrunkenerweis in alles Unheil und Unglück gestürzt und also um alles sein Glück und Wohlfahrt gebracht werden mag.

Gleichwie nun aber ich in meinem Gemüt auch um die allergeringste Schmach und vermeinte zugefügte Unbilligkeit ganz rachgierig und unversöhnlich war, als' erzeigte sich auch mein Leib, wann er im geringsten verletzt wurde, gleichsam ganz unheilsam, nicht weiß ich, ob derselbe dem Gemüt nachähmte oder ob die Zärte meiner Haut und sonderbaren Komplexion[7] so grobe Stöße wie ein Salzburger Holzbauer nicht ertragen konnte; einmal[8], ich hatte meine blaue Fenster[9] und von Springinsfelds Faust die Wahrzeichen noch in meinem sonst zarten Angesicht, die er mir im Lager vor Mantua eingetränkt, da er mich in obbemeldtem Lager an der Tonau, als ich abermal mitten im besten Schlaf lag, bei der Mitten kriegte, auf die Achsel nahm, mit mir also im Hembd, wie er mich erdappt gehabt, gegen des Obristen Wachtfeuer zuliefe und mich allen Ansehen[10] nach hinwegwerfen wollte. Ich wußte, nachdem ich erwachte, zwar nicht, wie mir geschahe, aber gleichwohl merkte ich meine Gefahr, da ich mich ganz nackend befande und den Springinsfeld mit mir so schnell gegen dem Feuer zueilen sahe; derowegen fienge ich an zu schreien, als wann ich mitten unter die Mörder gefallen wäre. Davon erwachte alles im Läger, ja der Obrist selbst sprang mit seiner Partisan[11] aus seiner Zelten und andere Offizier mehr, welche kamen,

der Meinung, einen entstandenen großen Lärmen zu stillen (dann wir hatten damals ganz keine Feindsgefahr), sondern aber nichts anders als ein schönes, lächerliches Einsehen und närrisches Spektakul. Ich glaube auch, daß es recht artlich und kurzweilig anzusehen gewesen sein muß. Die Wacht empfinge den Springinsfeld mit seiner unwilligen und schreienden Last, ehe er dieselbe ins Feuer werfen konnte, und als sie solche nackend sahen und for seine Courage erkannten, war der Korporal so ehrliebend, mir einen Mantel um den Leib zu werfen. Indessen kriegten wir einen Umstand von allerhand hohen und niedern Offiziern, der sich schier zu Tod lachen wollte und welchem nicht allein der Obrist selbst, sondern auch der Obristeleutenant gegenwärtig war, der allererst neulich den Frieden zwischen mir und dem Springinsfeld durch Drohung gestiftet hatte.
Als indessen Springinsfeld sich wieder witzig stellte, oder (ich weiß selbst schier nit, wie es ihm ums Herz war) als er wieder zu seinen sieben Sinnen kommen, fragte ihn der Obriste, was er mit dieser Gugelfuhr[12] gemeint hätte. Da antwortet' er, ihm hätte geträumt, seine Courage wäre überall mit giftigen Schlangen umgeben gewesen, derowegen er – sie, seinem Einfall nach, zu erretten und davon sie [zu] befreien – [sie] entweder in ein Feuer oder Wasser zu tragen fors beste gehalten, hätte sie auch zu solchem Ende aufgepackt und wäre, wie sie alle vor andern sähen, also mit ihr daherkommen, welches ihm mehr als von Grund seines Herzens leid seie. Aber beides, der Obrist selbst und der Obristleutenant, der ihn vor Mantua beigestanden, schüttelten die Köpf darüber und ließen ihn, weil sich schon jedermann satt genug gelacht hatte, for die lange Weil[12a] zum Profosen führen, mich aber in mein Gezelt gehen, vollends auszuschlafen.
Den folgenden Morgen gieng unser Prozeß an und sollte auch gleich ausgehen, weil sie im Krieg nicht so lang zu währen pflegen als an einigen Orten im Frieden. Jedermann wußte zuvor wohl, daß ich Springinsfelds Ehefrau nicht war, sondern nur seine Matress', und dessentwegen bedorften wir auch vor kein Konsistorium[13] zu kommen, um uns scheiden

zu lassen, welches ich begehrte, weil ich im Bette meines Lebens bei ihm nicht sicher war; und ebendessentwegen hatte ich einen Beifall schier von allen Assessoribus[14], die dafor-hielten, daß ein solche Ursach auch eine rechte Ehe scheiden könnte. Der Obristleutenant, so vor Mantua ganz auf Springinsfelds Seiten gewesen, war jetzt ganz wider ihn, und die übrige vom Regiment schier alle auf meiner Seiten. Demnach ich aber mit meinem Kontrakt schriftlich hervorkam, wasgestalt wir beisammenzuwohnen einander versprachen bis zur ehrlichen Kopulation, zumalen meine Lebensgefahr, die ich künftig bei einem solchen Ehegatten zu sorgen hätte, trefflich aufzumutzen[15] und vorzuschützen wußte, fiel endlich der Bescheid, daß wir bei gewisser Strafe voneinander gescheiden und doch verbunden sein sollten, uns um dasjenig, so wir miteinander errungen und gewonnen, zu vergleichen. Ich replizierte[16] hingegen, daß solches letzte wider den Akkord[17] unserer ersten Zusammenfügung laufe und daß Springinsfeld, seit er mich bei ihm hätte oder, teutscher zu reden, seit ich ihn zu mir genommen und die Markedenterei angefangen, mehr vertan als gewonnen hätte, welches ich dann mit dem ganzen Regiment beweisen und dartun könnte. Endlich hieße es, wann der Vergleich nach Billigkeit solcher Umstände zwischen uns beeden selbst nicht gütlich getroffen werden könnte, daß alsdann nach befindenden Dingen von dem Regiment ein Urteil gesprochen werden sollte.
Ich ließe mich mit diesem Bescheid mehr als gern genügen, und Springinsfeld ließe sich auch gern mit einem geringen beschlagen[18]; dann weil ich ihn und mein Gesind nach dem eingehenden Gewinn und also nit mehr wie in Italia traktierte, also daß es schiene, als ob der Schmalhans bei uns anklopfen wollte, vermeinte der Geck, es wäre mit meinem Geld auf der Neige und bei weitem nicht mehr so viel vorhanden, als ich noch hatte und er nicht wußte. Und es war billig, daß er's nicht wußte, dann er wußte ja auch nicht, warum ich damit so halsstarrig zuruckhielte.
Eben damals, Simplice, wurde das Regiment Tragoner, darunter du etwan[19] zu Soest dein Abc gelernet hast, durch aller-

hand junge Bursch, die sich hin und wieder bei den Offiziern der Regimenter zu Fuß befanden und nun erwachsen waren, aber keine Musketierer werden wollten, verstärkt, welches eine Gelegenheit for den Springinsfeld war, wessentwegen er sich auch mit mir in einen desto leidenlichern Akkord einließe, den wir auch allein miteinander getroffen; solchergestalt: Ich gab ihm das beste Pferd, das ich hatte, samt Sattel und Zeug, item[20] einhundert Dukaten par Geld und das Dutzed Reuterkoller, so er in Italia durch meine Anstalt[21] gestohlen; dann wir hatten uns bisher nicht dörfen [damit] sehen lassen. Damit wurde auch eingedingt, daß er mir zugleich meinen Spiritus famil. um eine Kron abkaufen sollte, welches auch geschahe. Und in solcher Maß habe ich den Springinsfeld abgeschafft und ausgesteuret[22]. Jetzt wirst du auch bald hören, mit was for einer feinen Gab ich dich selbst beseligt und deiner Torheit im Sauerbrunnen belohnet hab; habe nur eine kleine Geduld und vernimm zuvor, wie es dem Springinsfeld mit seinem Ding im Glas gangen.

Sobald er solches hatte, bekam er Würm über Würm[23] im Kopf; wann er nur einen Kerl ansahe, der ihme sein Tage niemal nichts Leids getan, so hätte er ihn gleich an Hals schlagen mögen; und er spielte auch in allen seinen Duellen den Meister! Er wußte alle verborgene Schätze zu finden und andere Heimlichkeiten mehr, hier ohnnötig zu melden. Demnach er aber erfuhre, was for einen gefährlichen Gast er herbergte, trachtet' er, seiner loszuwerden; er konnte ihn aber drum nicht wieder verkaufen, weil der Satz oder der Schlag[24] seines Kaufschillings aufs Ende kommen war. Ehe er nun selbst Haar lassen wollte, gedachte er mir denselbigen wieder anzuhenken und zuruckzugeben, wie er mir ihn dann auch auf dem General-Rendezvous[25], als wir vor Regenspurg ziehen wollten, vor die Füße warf. Ich aber lachte ihn nur aus, und solches zwar nicht darum vergebens; dann ich hube ihn nicht allein nicht auf, sondern da Springinsfeld wieder in sein Quartier kam, da fande er ihn wieder in seinem Schubsack. Ich hab mir sagen lassen, er habe den Bettel etlichmal in die Tonau geworfen, ihn aber alleweg wieder in seinem Sack gefunden, bis er endlich denselbigen in einen Bachofen geworfen und also seiner losworden. Indessen er sich nun so hiermit schleppte, wurde mir ganz ungeheuer bei der Sach; derowegen versilberte ich, was ich hatte, schaffte mein Gesind ab und setzte mich mit meiner böhmischen Mutter nach Passau, vermittelst meines vielen Gelds des Kriegs Ausgang zu erwarten, sintemal ich zu sorgen hatte, wann Springinsfeld solches Kaufs und Verkaufs halber über mich klagen würde, daß mir alsdann als einer Zauberin der Prozeß gemacht werden dörfte.

Das XXIII. Kapitel

Wie Courage abermal einen Mann verloren und sich darnach gehalten habe.

Zu Passau schlug es mir bei weitem nicht so wohl zu, als ich mich versehen hatte; es war mir gar zu pfäffisch und zu andächtig. Ich hätte lieber anstatt der Nonnen Soldaten oder anstatt der Mönche einige Hofbursch dort sehen mögen; und gleichwohl verharrete ich daselbsten, weil damals nicht nur Böhmen, sondern auch fast alle Provinzen des Teutschlandes mit Krieg überschwemmt waren. Indem ich nun sahe, daß alles der Gottesforcht daselbst zugetan zu sein schiene, akkommodierte[1] ich mich gleichfalls aufs wenigst äußerlich nach ihrer Weis und Gewohnheit; und was mehr ist, so hatte meine böhmische Mutter oder Kostfrau das Glück, daß sie an diesem andächtigen Ort unter Glanz der angenommenen Gottseligkeit den Weg aller Welt gieng, welche ich dann auch ansehenlicher begraben ließe, als wann sie zu Prag bei St. Jakobs Tor gestorben wäre. Ich hielte es for ein Omen meiner künftigen Unglückseligkeit, weil ich nunmehr niemanden auf der Welt mehr hatte, dem ich mich und das Meinige rechtschaffen hätte vertrauen mögen; und derentwegen haßte ich den unschuldigen Ort, darin ich meiner besten Freundin, Säugammen und Auferzieherin war beraubt worden. Doch patientiert[2] ich mich daselbst, bis ich Zeitung[3] bekam, daß der Wallensteiner Prag, die Hauptstadt meines Vaterlands, eingenommen[4] und wiederum in des Röm. Kaisers Gewalt gebracht; dann auf solche erlangte Zeitung, und weil der Schwed zu Mönchen[5] und in ganz Bayern dominiert', zumalen in Passau seinetwegen große Forcht war, machte ich mich wieder in besagtes Prag, wo ich mein meistes Geld liegen hatte.

Ich war aber kaum dort eingenistelt, ja ich hatte mich noch nicht recht daselbst gesetzt, mein zusammengeschundenes Geld und Gut im Frieden und meinem Bedunken nach in einer so großen und dannenhero auch meinem Vermuten nach sehr sichern Stadt wollustbarlich zu genießen, siehe, da schlug der Arnheim[6] die Kaiserl. bei Liegnitz[7], und nachdem er daselbst 53 Fähnlin erobert, kam er, Prag zu ängstigen[8]. Aber der Allerdurchläuchtigst dritte Ferdinand[9] schickte seiner Stadt (als er selbsten Regenspurg zusetzte[10]) den Gallas[11] zu Hülfe, durch welchen Sukkurs[12] die Feinde nicht allein Prag, sondern auch ganz Böhmen wiederum zu verlassen genötigt wurden.

Damal sahe ich, daß weder die große und gewaltige Städte noch ihre Wäll, Türn'[13], Mauren und Gräben mich und das Meinige vor der Kriegsmacht derjenigen, die nur im freien Feld, in Hütten und Zelten logieren und von einem Ort zum andern schweifen, beschützen könnte; derowegen trachtet ich dahin, wie ich mich wiederum einem solchen Kriegsheer beifügen möchte.

Ich war damal noch ziemlich glatt und annehmlich, aber gleichwohl doch bei weitem nicht mehr so schön als vor etlich Jahren. Dannoch brachte mein Fleiß und Erfahrenheit mir abermal aus dem Gallasischen Sukkurs einen Hauptmann zuwegen, der mich ehelichte, gleichsam als wann es der Stadt Prag Schuldigkeit oder sonst ihr eigne Art gewest wäre, mich auf allen Fall mit Männern, und zwar mit Hauptleuten, zu versehen. Unsere Hochzeit wurde gleichsam gräflich gehalten, und solche war kaum vorüber, als wir Ordre[14] kriegten, uns zu der kaiserlichen Armada[15] vor Nördlingen[16] zu begeben, die sich kurz zuvor mit dem hispanischen Ferdinand Kardinal-Infant[17] konjungiert[18], Donawerth[19] eingenommen und Nördlingen belagert hatte. Diese nun kamen der Fürst von Weimar und Gustavus Horn zu entsetzen, worüber es zu einer blutigen Schlacht geriete, deren Verlauf und darauf erfolgte Veränderung nicht vergessen werden wird, solang die Welt stehet! Gleichwie sie aber auf unserer Seiten überall glücklich abliefe, also war sie mir gleichsam allein schädlich und unglückhaft, indem sie mich meines Manns, der noch kaum bei mir erwarmet, im ersten Angriff beraubte. Überdas so hatte ich nicht das Glück, wie mir etwan hiebevor in anderen Schlachten widerfahren, for mich selbsten und mit meiner Hand Beuten zu machen, weil ich wegen anderer, die mir vorgiengen, sodann auch wegen meines Manns allzufrühen Tod nirgends zukommen konnte. Solches bedunkten mich eitel Vorbedeutungen meines künftigen Verderbens zu sein, welches dann die erste Melancholia, die ich mein Tage rechtschaffen empfunden, in meinem Gemüt verursachte.

Nach dem Treffen zerteilte sich das sieghafte Heer in unterschiedliche Troppen, die verlorne teutsche Provinze wiederzugewinnen, welche aber mehr ruiniert als eingenommen und behauptet worden. Ich folgte mit dem Regiment, darunter mein Mann gedienet, demjenigen Korpo[20], das sich des Bodensees und Wirttenberger Landes bemächtigt, und ergriffe dardurch Gelegenheit, in meines ersten Hauptmanns (den mir hiebevor Prag auch gegeben, Hoya aber wieder genommen[21]) Vaterland zu kommen und nach seiner Verlassenschaft zu sehen, allwo mir dasselbe Patrimonium[22] und des Orts Gelegenheit so wohl gefiele, daß ich mir dieselbige Reichsstadt[23] gleich zu einer Wohnung erwählete, vornehmlich darum, weil die Feinde des Erzhauses Österreich zum Teil bis über den Rhein und anderwärts, ich weiß als nit, wohin, verjagt und zerstreuet waren, also daß ich mir nichts Gewissers einbildete, dann ich würde ihrentwegen mein Lebtage dort sicher wohnen. So mochte ich ohnedas nicht wieder in Krieg, weil nach dieser namhaften Nördlinger Schlacht

überall alles dergestalt aufgemauset wurde, daß die Kaiserlichen wenige rechtschaffene Beuten meiner Mutmaßung nach zu hoffen.
Derowegen fienge ich an auf gut bäurisch zu hausen; ich kaufte Viehe und liegende Güter, ich dingte Knecht und Mägd und schickte mich nit anders, als wann der Krieg durch diese Schlacht allerdings geendigt oder als ob sonst der Friede vollkommen beschlossen worden wäre. Und zu solchem Ende ließe ich alles mein Geld, das ich zu Prag und sonst in großen Städten liegen hatte, herzukommen und verwendete das meiste hierzu an. Und nun siehe, Simplice, dergestalt seind wir meiner Rechnung und deiner Lebensbeschreibung nach zu *einer* Zeit zu Narren worden, ich zwar bei den Schwaben, du aber zu Hanau[24]; ich vertät mein Geld unnützlich, du aber deine Jugend; du aber kamest zu einem schlechten Krieg, ich aber bildet mir vergeblich eine Friedenszeit ein, die noch in weitem Feld stunde[25]. Dann ehe ich recht eingewurzelt war, da kamen Durchzüg und Winterquartier, die doch die beschwerliche Contributiones[26] mitnichten aufhuben; und wann die Menge meines Gelds nicht ziemlich groß oder ich nicht so witzig gewesen wäre, dessen Besitzung weislich zu verbergen, so wäre ich zeitlich kaputt worden; dann niemand in der Stadt ware mir hold, auch meines gewesenen Manns Freunde nicht, weil ich dessen hinterlassene Güter genosse, die sonst ihnen erblich zugefallen wären, wann mich, wie sie sagten, der Hagel nicht hingeschlagen hätte. Dannenhero wurde ich mit starken Geltern belegt und nichtsdestoweniger auch mit Einquartierungen nicht verschonet; es gieng mir halt wie den Wittiben, die von jedermann verlassen sein. Aber solches erzähle ich dir darum nicht klagenderweis, begehre auch dessentwegen weder Trost, Hülf noch Mitleiden von dir, sondern ich sage dir's darum, daß du wissen solltest, daß ich mich gleichwohl nicht viel deswegen bekümmerte noch betrübte, sondern daß ich mich noch darzu freuete, wann wir einem Regiment mußten Winterquartier geben; dann sobald solches geschahe, machte ich mich bei den Offiziern zutäppisch[27]. Da war Tag

und Nacht nichts als Fressen und Saufen, Huren und Buben in meinem Hause; ich ließe mich gegen ihnen an, wie sie wollten, und sie mußten sich auch hinwiederum, wann sie nur einmal angebissen hatten, gegen mir anlassen, wie ich's haben wollte, also daß sie wenig Geld mit sich aus dem Quartier ins Feld trugen; worzu ich dann mehr als tausenderlei Vörtel[28] zu gebrauchen wußte und trutz jedermann, der damals etwas darwider gesagt hätte. Ich hielte allezeit ein paar Mägd, die kein Haar besser waren als ich, gienge aber so sicher, klüglich und behutsam damit um, daß auch der Magistrat, meine damalige liebe Obrigkeit, selbsten mehr Ursach hatte, durch die Finger zu sehen, als mich deswegen zu strafen, sintemal ihre Weiber und Töchter, solang ich vorhanden war und mein Netz ausspannen dorfte, nur desto länger fromm verblieben. Dies Leben führete ich etliche Jahr, ehe ich mich übel dabei befande, zu welcher Zeit ich jährlich gegen dem Sommer, wann Mars wieder zu Felde gieng, meinen Uberschlag und Rechnung machte, was mich denselbigen Winter der Krieg gekostet; da ich dann gemeiniglich fande, daß meine Prosperität[29] und Einnahm die Ausgab meiner schuldigen Kriegskosten übertroffen. Aber, Simplice, jetzt ist's an dem, daß ich dir auch sage, mit was for einer Laugen ich dir gezwaget[30]; will derowegen jetzt nicht mehr mit dir, sondern mit dem Leser reden; du magst aber wohl auch zuhören und, wann du vermeinest, daß ich lüge, mir ohngehindert in die Rede fallen.

Das XXIV. Kapitel

Wie Simplicissimus und Courage Kundschaft zusammen bekommen[1] und einander betrogen.

Wir mußten in unserer Stadt eine starke Besatzung gedulten, als die Kurbayrische und Französische-Weimarische in der schwäbischen Grenze einander in den Haaren lagen und sich zwackten. Unter denselbigen waren die meiste Offizierer trefflich geneigt auf dasjenige, was ich ihnen gern um die Gebühr mitzuteilen pflegte. Demnach ich's aber beides, aus großer Begierde des Gelds, wieder damit gewonnen[2], als meiner eigenen unersättlichen Natur halber gar zu grob machte und beinahe ohne Unterschied zuliefe, wer nur wollte, siehe, da bekam ich dasjenige, was mir bereits vor zwölf oder funfzehen Jahren rechtmäßigerweise gebühret hätte, nämlich die liebe Franzosen[3] (mit wohlgeneigter Gunst![4]). Diese schlugen aus und begunnten mich mit Rubinen zu zieren, als der lustige und fröhliche Frühling den ganzen Erdboden mit allerhand schönen, wohlgezierten Blumen besetzte. Gesund[5] war mir's, daß ich Mittel genug hatte, mich wiederum darvon kuriern zu lassen, welches dann in einer Stadt am Bodensee geschahe. Weil mir aber, meines Medici[6] Vorgeben nach, das Geblüt noch nicht vollkommen gereinigt gewesen, da riete er mir, ich sollte die Sauerbrunnenkur brauchen und also meine vorige Gesundheit desto völliger wiederum erholen. Solchem zufolge rüstet ich mich aufs beste aus mit einem schönen Kalesch, zweien Pferden, einem Knecht und einer Magd, die mit mir vier Hosen eines Tuchs[7] war, außer daß sie die obengemeldte lustige Krankheit noch nicht am Hals gehabt.

Ich war kaum acht Tag im Saurbrunnen gewesen, als Herr Simplicius Kundschaft zu mir machte[8], dann gleich und gleich gesellt sich gern, sprach der Teufel zum Kohler. Ich trug mich ganz adelig, und weil Simplicius so toll aufzoge und viel Diener hatte, hielte ich ihne auch for einen dapfern Edelmann und gedachte, ob ich ihm vielleicht das Seil über die Hörner werfen und ihn (wie ich schon zum öftern mehr praktiziert) zu meinem Ehemann kriegen konnte. Er kam, meinem Wunsch nach, mit völligem Wind in den gefährlichen Port meiner sattsamen[9] Begierden angesegelt, und ich traktierte ihn wie etwan die Circe den irrenden Ulyssem. Und alsobald faßte ich eine gewisse Zuversicht, ich hätte ihn schon gewiß an der Schnur, aber der lose Vogel risse solche entzwei vermittelst eines Funds[10], dardurch er mir seine große Un-

dankbarkeit zu meinen Spott und seinen eigenen Schaden bezeugte; sintemal er durch einen blinden Pistolenschuß und einer Wasserspritze voll Blut, das er mir durch ein Sekret[11] beibrachte, mich glauben machte, ich wäre verwundet, weswegen mich nicht nur der Balbierer, der mich verbinden sollte, sondern auch fast alles Volk in Saurbrunnen hinten und vornen beschauete, die nachgehends alle mit Fingern auf mich zeigten, ein Lied darvon sangen und mich dergestalt aushöhneten, daß ich den Spott nicht mehr vertragen und erleiden konnte, sondern, ehe ich die Kur gar vollendet, den Saurbrunnen mitsamt dem Bad quittierte.
Der Tropf Simplex nennet mich in seiner Lebenserzählung im 5. Buch an 6. Kapitel leichtfertig, item sagt er, ich sei mehr mobilis als nobilis[12] gewesen; ich gebe beides zu. Wann er selbst aber nobel oder sonst ein gut Haar an ihm gewesen wäre, so hätte er sich an so keine leichtfertige und unverschämte Dirne, wie er mich for eine gehalten, nicht gehängt, viel weniger seine eigene Unehr und meine Schand also vor der ganzen Welt ausgebreitet und ausgeschrien. Lieber Leser, was hat er jetzt for Ehr und Ruhm davon, daß er (damit ich seine eigene Wort gebrauche) in kurzer Zeit einen freien Zutritt und alle Vergnügung, die er begehren und wünschen mögen, von einer Weibsperson erhalten, vor deren Leichtfertigkeit er ein Abscheuen bekommen? Ja von deren, die noch kaum der Holzkur[13] entronnen? Der arme Teufel hat eine gewaltige Ehre darvon, sich dessen zu rühmen, welches er mit besseren Ehren billig hätte verschweigen sollen. Aber es gehet dergleichen Hengsten nicht anderst, die wie das unvernünftige Viehe einem jedwedern geschleierten Tier[14] wie der Jäger jeden einem Stück Wild nachsetzen. Er sagt, ich seie glatthärig gewesen! Da muß er aber wissen, daß ich damals den siebenzehenden Teil meiner vorigen Schönheit bei weitem nicht mehr hatte, sondern ich behalfe mich allbereit mit allerhand Anstrich und Schminke, deren er mir nicht wenig, sondern einer großen Menge abgeleckt. Aber genug hiervon, Narren soll man mit Kolben lausen. Das war noch ein gerings; jetzt vernehme der Leser, wormit ich ihn endlich be-

zahlet: Ich verließe den Sauerbrunnen mit großem Verdruß und Unwillen, also bedachte mich auf eine Rach, weil ich vom Simplicio beides, beschimpft und verachtet worden. Und meine Magd hatte sich daselbsten ebenso frisch gehalten als ich und (weil die arme Tröpfin keinen Scherz verstehen konnte) ein junges Söhnlein for ein Trinkgeld aufgebündelt[15], welches sie auch auf meinem Meierhof außer der Stadt glücklich zur Welt gebracht. Dasselbe mußte sie mit Namen Simplicius nennen lassen, wiewohl sie Simplicius sein Tage niemals berührte. Sobald ich nun erfahren, daß sich Simplicius mit einer Baurentochter vermählet, mußte meine Magd ihr Kind entwöhnen und dasselbige, nachdem ich's mit zarten Windeln, ja seidenen Decken und Wickelbinden ausstaffieret, um meinem Betrug eine bessere Gestalt und Zierde zu geben, in Bekleidung[16] meines Meiersknecht zu Simplicii Haus tragen, da sie es dann bei nächtlicher Weile vor seine Tür gelegt mit einem beigelegten schriftlichen Bericht, daß er solches mit mir erzeugt hätte. Es ist nicht zu glauben, wie herzlich mich dieser Betrug erfreuete, sonderlich da ich hörete, daß er dessentwegen von seiner Obrigkeit so trefflich zur Straf gezogen worden und daß ihm diesen Fund sein Weib alle Tag mit Meerrettich und Senf auf dem Brot zu essen gab; item, daß ich den guten Simpeln glauben gemacht, die Unfruchtbare hätte geboren – da ich doch, wann ich der Art gewest wäre, nicht auf ihn gewartet, sondern in meiner Jugend verrichtet haben würde, was er in meinem herzunahenden Alter von mir glaubte; dann ich hatte damals allbereit schier vierzig Jahr erlebt und war eines schlimmen Kerls nicht würdig, als Simplicius einer gewesen.

Das XXV. Kapitel

Courage wird über ihren Ubeltaten erwischt und der Stadt verwiesen.

Jetzt sollte ich zwar abbrechen und aufhören, von meinem fernern Lebenslauf zu erzählen, weilen genugsam verstanden worden, was for eine Dame Simplicius überdölpelt zu haben sich gerühmet; gleichwie er aber von deme, was allbereit gesagt worden, ohne Zweifel fast nichts als Spott und Schand haben wird, also wird's ihm auch wenig Ehr bringen, was ich noch fürters anzeigen werde.

Ich hatte hinter meinem Hause einen Garten in der Stadt, beides, von Obsgewächs, Kräuter und Blumen, der sich dorfte sehen lassen und alle andere trutzte; und neben mir wohnete ein alter Mechaberis[1] oder Susannenmann[2], welcher ein Weib hatte, die viel älter war als er selbsten. Diese wurde zeitlich innen, von was for einer Gattung ich war, und ich schlug auch nicht ab, in Notfall mich seiner Hülf zu bedienen, wessentwegen wir dann oft in besagtem Garten zusammenkamen und gleichsam im Raub und höchster Eil Blumen brachen[3], damit es sein eifersüchtige Alte nit gewahr würde, wie wir dann auch nirgends so sicher als in diesem Garten zusammenkommen konnten, als da das grüne Laub und die verdeckte Gäng unserer Meinung nach vor dem Menschen, aber nicht vor den Augen Gottes unsere Schand und Laster bedeckten. Gewissenhafte Leut werden darforhalten, unser Sündenmaß seie damal entweder voll und überhäuft gewesen oder die Güte Gottes hätte uns zur Besserung und Buße berufen wollen. Wir hatten einander im Anfang des Septembris Losung gegeben, denselbigen lieblichen Abend im Garten unter einem Birnbaum zusammenzukommen, eben als zween Musketierer aus unserer Guarnison ein Anschlag gemacht hatten, selbigen Abend ihren Part[4] von meinen Birnen zu stehlen, wie sie auch den Baum bestiegen und zu brechen anfiengen, ehe ich und der Alte in Garten kommen. Es war

ziemlich finster, und mein Buhler stellte sich ehender ein als ich, bei dem ich mich aber auch gar bald befande und dasjenige Werk mit ihm angienge, das wir ehmalen miteinander zu treiben gewohnt waren. Potz Herz! Ich weiß nicht, wie es gienge, der eine Soldat regte sich auf dem Baum, um unserer Gaukelfuhr besser wahrzunehmen, und war so unvorsichtig, daß er alle seine Birne, die er gebrochen hatte, verschüttelt; und als selbige auf den Boden fielen, bildeten ich und der Alte sich nichts anders ein, als es wäre etwan ein starkes Erdbiden[5] von Gott gesendet und verhängt, uns von unsern schandlichen Sünden abzuschrecken, wie wir dann einander auch solches mit Worten zu verstehen gaben und beide in Angst und Schrecken voneinander liefen. Die auf dem Baum aber konnten sich des Lachens nicht enthalten, welches uns noch größere Furcht einjagte, sonderlich dem Alten, der da vermeinte, es wäre ein Gespenst, das uns plagte. Derowegen begab sich ein jedes von uns in seine Gewahrsam.
Den andern Tag kam ich kaum auf den Markt, da schrie ein Musketierer: »Ich weiß was!« Ein anderer fragte ihn mit[6] vollem Hals: »Was weißt du dann?« Jener antwortet': »Es hat heut Birnen geerdbidmet.« Dies Geschrei kam je länger, je stärker, also daß ich gleich merkte, was die Glocke geschlagen, und mich im Angesicht anrötete, wiewohl ich mich sonst zu schämen nit gewohnet war. Ich machte mir gleich die Rechnung, daß ich eine Hatz ausstehen müßte, gedachte aber nicht, daß es so grob hergehen würde, wie ich hernach erfuhr; dann nachdem die Kinder auf der Gassen von unserer Geschicht zu sagen wußten, konnte der Magistrat nichts anders tun, als daß er mich und den Alten beim Kopf nehmen und jedweders besonders gefangen setzen ließe. Wir leugneten aber beide wie die Hexen, ob man uns gleich mit dem Henker und der Tortur dräuete.
Man inventiert'[7] und verpetschiert'[8] das Meinige und examiniert' mein Hausgesind bei dem Eid, deren Aussag aber widereinander liefe[9], weil sie nit alle von meinen losen Stücken wußten und mir die Mägd getreu waren. Endlich

verschnappte[10] ich den Handel selbst, als nämlich der Schultheiß, welcher mich Frau Bas nennete, oft zu mir in das Gefängnis kam und großes Mitleiden vorwandte, in Wahrheit aber mehr ein Freund der Gerechtigkeit als mein Vetter war. Dann nachdem er mich in aller falschen Verträulichkeit überredet, mein Alter hätte den begangenen und oftmals wiederholten Ehebruch gestanden, fuhre ich unversehens heraus und sagte: »So schlag ihm der Hagel ins Maul, weil's der alte Scheußer nicht hat halten können!«; bate demnach meinen vermeinten Freund, er wollte mir doch getreulich da durchhelfen. Er aber hingegen machte mir eine scharfe Predigt daher, tät die Tür auf und wiese mir einen Notarium und bei sich habende Zeugen, die alle meine und seine Reden und Gegenreden angehört und aufgemerkt[11] hatten.

Darauf gieng es wunderlich her; die meiste Ratsherrn hielten darfor, man sollte mich an die Folter werfen, so würde ich viel mehr dergleichen Stücke bekennen und alsdann nach befindenden Dingen als eine unnütze Last der Erden um eines Kopfs kürzer zu machen sein, welcher Sentenz[12] mir auch weitläufig notifiziert[13] wurde. Ich hingegen ließe mich vernehmen, man suche nicht so sehr der lieben Gerechtigkeit und den Gesetzen ein Genügen zu tun, als mein Geld und Gut zu konfiszieren[14]; würde man so streng mit mir prozediern[15], so würden noch viel, die for ehrliche Burger gehalten werden, mit mir zur Leiche gehen oder mir das Geleit geben müssen[16]. Ich konnte schwätzen wie ein Rechtsgelehrter, und meine Wort und Protestationes[17] fielen so scharf und schlau, daß sich Verständige darvor entsetzten. Zuletzt kam es dahin, daß ich auf eine Urfehd[18] die Stadt quittieren[19] und zu mehr als wohlverdienter Strafe alle meine Mobilia[20] und liegende Güter dahindenlassen mußte, darunter sich gleichwohl mehr als über 1000 Reichstaler par Geld befande. Meine Kleidungen und was zu meinem Leib gehörte, wurde mir gefolgt[21], außer etliche Kleinodien, die einer hier, der ander dort zu sich zwackte. In Summa, was wollte ich tun? Ich hatte wohl Größers verdienet, wann man strenger mit mir hätte prozedieren wollen; aber es war halt im Krieg und dankte jedermänniglich dem gütigen Himmel (ich sollte gesagt haben »jederweiberlich«), daß die Stadt meiner so taliter qualiter[22] losworden.

Das XXVI. Kapitel

Courage wird eine Musketiererin, schachert dabei mit Tabak und Branntewein. Ihr Mann wird verschicket, welcher unterwegs einen toten Soldaten antrifft, den er ausziehet, und weil die Hosen nicht herunterwollten, ihm die Schenkel abhaut, alles zusammenpacket und bei einem Bauren einkehret, die Schenkel zu Nachts hinterlässet und Reißaus nimmt; darauf sich ein recht lächerlicher Poss' zuträgt.

Damals[1] lagen weit herumb keine kaiserl. Völker oder Armeen, zu welchen ich mich wieder zu begeben im Sinn hatte. Weil mir's dann nun an solchen mangelte, so gedachte ich mich zu den Weimarischen oder Hessen zu machen, welche damal im Kinz'ger Tal und derorten herumb sich befanden, umb zu sehen, ob ich etwan wieder einen Soldaten zum Mann bekommen könnte. Aber ach! Die erste Blüte meiner ohnvergleichlichen Schönheit war fort und wie eine Frühlingsblum verwelket, wie mich dann auch mein neulicher Unfall und daraus entstandene Bekümmernus nicht wenig verstellet. So war auch mein Reichtumb hin, der oft die alte Weiber wieder an Männer bringet. Ich verkaufte von meinen Kleidern und Geschmuck, so mir noch gelassen worden, was Geld golte, und brachte etwan zweihundert Gulden zuwegen, mit denen machte ich mich sambt einen Boten auf den Weg, umb mein Glück zu suchen, wo ich's finden möchte. Ich trafe aber nichts als Unglück an; dann ehe ich Schiltach[2] erlangte, kriegte uns eine weimarische Partei Musketierer, welche den Boten abprügelten, plünderten und wieder von sich jagten, mich aber mit sich in ihr Quartier schleppeten. Ich gab mich for ein kaiserl. Soldatenweib aus, deren Mann vor

Freiburg in Preisgau tot blieben wäre, und überredet die Kerl, daß ich in meines Mannes Heimat gewesen, nunmehr aber willens sei, mich ins Elsaß nach Haus zu begeben. Ich war, wie obgedacht, bei weitem nicht mehr so schön als vor diesem, gleichwohl aber doch noch von solcher Beschaffenheit, die einen Musketierer aus der Partei so verliebt machte, daß er meiner zum Weib begehrte. Was wollte oder sollte ich tun? Ich wollte lieber diesem einzigen mit gutem Willen gönnen, als von der ganzen Partei mit Gewalt zu demjenigen gezwungen werden, was dieser aus Lieb suchte; in Summa, ich wurde eine Frau Musketiererin, ehe mich der Kaplan kopulierte. Ich hatte im Sinn, wieder wie zu Springinsfelds Zeiten eine Marketenderin abzugeben, aber mein Beutel befand sich viel zu leicht, solches ins Werk zu setzen. So mangelte mir auch meine böhmische Mutter, und überdas bedunkte mich, mein Mann wäre viel zu schlecht und liederlich zu solchem Handel. Doch finge ich an mit Tabak und Branntewein zu schachern, gleichsam als ob ich wieder halbbatzenweis hätte gewinnen wollen, was ich kürzlich bei tausenden verloren. Es kam mich blutsauer an, so zu Fuß daherzumarschieren und noch darzu einen schweren Pack zu tragen neben dem, daß es auch zuzeiten schmal Essen und Trinken setzte, welches unangenehmlichen Dings ich mein Lebtag nicht versucht, viel weniger gewohnet hatte. Zuletzt brachte ich einen trefflichen Maulesel zuwegen, der nicht allein schwer tragen, sondern auch schneller laufen konnte als manch gutes Pferd. Gleichwie ich nun dergestalt zween Esel zusammenbrachte, also verpflegte ich sie auch besten Fleißes, damit ein jeder seine Dienste desto besser versehen könnte. Solchergestalt nun, weil ich und meine Bagage getragen wurde, konnte ich mich auch um etwas besser patientieren[3] und verzögerte[4] also mein Leben, bis uns der von Mercy[5] in Anfang des Maien bei Herbsthausen[6] treffliche Stöße gab. Ehe ich aber fortfahre, solchen meinen Lebenslauf weiters hinauszuerzählen, so will ich dem Leser zuvor ein artliches Stückel eröffnen, das mein damaliger Mann wider seinen Willen ins Werk setzte, als wir noch im Kinz'ger Tal lagen.

Er gieng ein auf seiner Offizier Zumuten und mein Gutbefindung, sich in alte Lumpen zu verkleiden und mit einer Axt auf der Achsel in Gestalt eines armen, exulierenden[7] Zimmermanns einige Brief an Ort und Ende zu tragen, dahin sonst niemand zu schicken wegen der kaiserl. Parteien, welcher wegen es unsicher war. Solche Briefe betrafen die Konjunktion[8] etlicher Völker und anderer Kriegsanschläg. Es ware damals vor grimmiger Kälte gleichsam Stein und Bein zusammengefroren, so daß mich das arme Schaf auf seiner Reise schier getauret hätte, doch mußte es sein, weil ein ziemlich Stück Geld zu verdienen war, und er verrichtet' auch alles sehr glücklich. Unterwegs aber fande er einen toten Körper in seinen Abwegen[9], die er der Enden[10] wohl wußte, welcher ohne Zweifel eines Offiziers gewesen sein muß, weil er ein Paar roter, scharlachener Hosen mit silbern Galaunen[11] verbrämt anhatte, welcherlei Gattung damal die Offizier zu tragen pflegten; so war sein Köller samt Stiefeln und Sporen auch den Hosen gemäß. Er besahe den Fund und konnte nicht ersinnen, ob der Kerl erfroren oder von den Schwarzwäldern totgeschlagen worden wäre, doch galte es ihm gleich, welches Tods er gestorben. Das Koller gefiele ihm so wohl, daß er's ihm auszog, und da er dasselbige hatte, gelüstet' ihn auch nach den Hosen, welche zu bekommen er zuvor die Stiefel abziehen mußte. Solches glückte ihm auch. Als er aber die Hosen herabstreifte, wollten solche nicht hotten[12], weil die Feuchtigkeit des allbereit verwesenden Körpers unter den Knien herum, allwo man dazumal die Hosenbändel zu binden pflegte, sich beides, in das Futter und den Uberzug gesetzt hatte und dannenhero Schenkel und Hosen wie ein Stein zusammengefroren waren. Er hingegen wollte diese Hosen nicht dahindenlassen, und weil der Tropf sonst kein ander Mittel in der Eil sahe, eins vom andern zu ledigen, hiebe er dem Korpo[13] mit seiner Axt die Füße[14] ab, packte solche samt Hosen und Koller zusammen und fande mit seinem Bündel bei einem Bauren ein solche Gnad, daß er bei ihme hintern warmen Stubenofen übernachten dorfte.

Dieselbe Nacht kälbert' dem Bauern zu allem Unglück eine Kuhe, welches Kalb seine Magd wegen der großen Kälte in die Stuben trug und zunächst bei meinem Mann auf eine halbe Well[15] Stroh zum Stubenofen setzte. Indessen war es gegen Tag und meines Manns eroberte Hosen allbereit von den Schenkeln aufgetauet; derowegen zog er seine Lumpen zum Teil aus und hingegen das Köller und die Hosen (die er umkehrte oder letz[16] machte) an, ließe sein altes Gelümp samt den Schenkeln beim Kalb liegen, stiege zum Fenster hinaus und kam wieder glücklich in unser Quartier.
Des Morgens frühe kam die Magd wiederum, dem Kalb Rat zu schaffen[17]; als sie aber die beide Schenkel samt meines Mannes alten Lumpen und Schurzfell darbeiliegen sahe und meinen Mann nicht fande, fienge sie an zu schreien, als wann sie mitten unter die Mörder gefallen wäre. Sie liefe zur Stuben hinaus und schlug die Tür hinter ihr zu, als wann sie der Teufel gejagt hätte, von welchem Lärmen dann nicht allein der Bauer, sondern auch die ganze Nachbarschaft erwachte und sich einbildete, es wären Krieger vorhanden, wessenwegen ein Teil ausrisse, das ander aber sich in die Wehr schickte[18]. Der Bauer selbst vernahm von der Magd, welche vor Forcht und Schrecken zitterte, die Ursach ihres Geschreis, daß nämlich das Kalb den armen Zimmermann, den sie über Nacht geherbergt, bis auf die Füße gefressen und ein solches gräßliches Gesicht gegen ihr gemacht hätte, daß sie glaube, wann sie sich nicht aus dem Staub gemacht, daß es auch an sie gesprungen wäre. Der Bauer wollte das Kalb mit seinem Knebelspieß[19] niedermachen, aber sein Weib wollte ihn in solche Gefahr nicht wagen, noch in die Stub lassen, sondern vermittelte, daß er den Schultheißen um Hülf ansuchte. Der ließe alsobald der Gemein[20] zusammenläuten, um das Haus gesamter Hand zu stürmen und diesen gemeinen Feind des menschlichen Geschlechts, ehe er gar zu einer Kuhe aufwüchse, beizeiten auszureuten[21]. Da sahe man nun ein artliches Spektakel, wie die Bäurin ihre Kinder und den Hausrat zum Kammerladen nacheinander herauslangte, hingegen die Bauren zu den Stubenfenstern hineinguckten

und den schröcklichen Wurm samt bei sich liegenden Schenkeln anschaueten, welches ihnen genugsame Zeugnüs einer großen Grausamkeit einbildete. Der Schultheiß gebote, das Haus zu stürmen und dieses greuliche Wundertier niederzumachen, aber es schonete ein jeder seiner Haut; jeder sagte: »Was hat mein Weib und Kinder darvon, wann ich umkäme?« Endlich wurde aus eines alten Bauren Rat beschlossen, daß man das Haus mitsamt dem Kalb, dessen Mutter vielleicht von einem Lindwurm oder Drachen besprungen worden, hinwegbrennen und dem Bauern selbst aus gemeinem Säckel eine Ergötzung[22] und Hülfe tun sollte, ein anders zu bauen. Solches wurde fröhlich ins Werk gesetzet, dann sie sich damit trösteten, sie müßten gedenken, es hätten solches die Diebskrieger hinweggebrannt.
Diese Geschichte machte mich glauben, mein Mann würde trefflich Glück zu dergleichen Stücken haben, weil ihm dieses ungefähr begegnet. Ich gedachte, was würde er erst ins Werk setzen, wann ich ihn wie hievor den Springinsfeld abrichte. Aber der Tropf war viel zu eselhaftig und hundsklinkerisch[23] darzu; überdas ist er mir auch bald hernach in dem Treffen vor Herbsthausen tot geblieben, weil er keinen solchen Scherz verstehen konnte.

Das XXVII. Kapitel

Nachdem der Courage Mann in einem Treffen geblieben und Courage selbst auf ihrem Maulesel entrunnen, trifft sie eine Ziegeunerschar an, unter welchen der Leutenant sie zum Weib nimmt; sie sagt einem verliebten Fräulein wahr, entwendet ihr darüber alle Kleinodien, behält sie aber nicht lang, sondern muß solche wohlabgeprügelt wiederzustellen.

In erstgemeldtem Treffen kame ich vermittelst meines guten Maulesels darvon, nachdem ich zuvor meine Zelt und schlechteste Bagage hinweggeworfen, retterierte[1] mich auch mit dem Rest der übriggebliebenen Armee so wohl als der Touraine[2] selbsten bis nach Kassel; und demnach mein Mann tot geblieben und ich niemand mehr hatte, zu dem ich mich hätte gesellen mögen oder der sich meiner angenommen, nahme ich endlich meine Zuflucht zu den Ziegeunern, die sich von der schwedischen Hauptarmada bei den Königsmarckischen[3] Völkern befanden, welche sich mit uns bei Wartburg[4] konjungiert[5]; und indem ich bei ihnen einen Leutenant antrafe, der gleich meiner guten Qualitäten und trefflichen Hand zum Stehlen wie auch etwas Geldes hinter mir wahrnahm samt andern mehr Tugenden, deren sich diese Art Leut gebrauchen, siehe, so wurde ich gleich sein Weib und hatte diesen Vorteil, daß ich weder Oleum Talci[6] noch ander Schmiersel[7] mehr bedorfte, mich weiß und schön zu machen, weil sowohl mein Stand selbsten als mein Mann diejenige Coleur[8] von mir erforderte, die man des Teufels Leibfarb nennet. Derowegen finge ich an, mich mit Gänsschmalz, Läussalbe und andern haarfärbenden Unguenten[9] also fleißig zu beschmieren, daß ich in kurzer Zeit so höllrieglerisch[10] aussahe, als wann ich mitten in Ägypten[11] geboren worden wäre. Ich mußte oft selbst meiner lachen und mich über meine vielfältige Veränderung verwundern. Nichtsdestoweniger schickte sich das Zigeunerleben so wohl zu meinem Humor[12], daß ich es auch mit keiner Obristin vertauscht haben wollte. Ich lernete in kurzer Zeit von einer alten ägyptischen Großmutter wahrsagen; lügen und stehlen aber kunnte ich zuvor, außer daß ich der Ziegeuner gewöhnliche Handgriff noch nicht wußte. Aber was darf's viel Wesens? Ich wurde in Kürze so perfekt, daß ich auch for eine Generalin aller Ziegeunerinnen hätte passieren mögen.

Gleichwohl aber war ich so schlau nicht, daß es mir überall ohne Gefahr, ja ohne Stöße abgangen wäre, wiewohl ich mehr einheimbschte und meinem Mann zu verschlemmen zubrachte, als sonst meiner zehne. Höret, wie mir's einsmals so übel gelungen! Wir lagen über Nacht und ein Tag ohnweit von einer Freundsstadt im Vorbeimarschieren, da jedermann hineindorfte, um seinen Pfenning[13] einzukaufen, was er wollte. Ich machte mich auch hinein, mehr einzunehmen und zu stehlen, als Geld auszugeben oder etwas zu kaufen, weil ich sonst nichts zu erkaufen gedachte, als was ich mit fünf Fingern oder sonst einem künstlichen Griff zu erhandeln verhoffte. Ich war nicht weit die Stadt hineinpassiert, als mir eine Madamoiselle eine Magd zuschickte und mir sagen ließe, ich sollte kommen, ihrer Fräulein wahrzusagen, und von diesem Boten selbsten vernahm ich gar von weiten und gleichsam über hundert Meilen her, daß ihrer Fräulin Liebhaber rebellisch worden und sich an ein andere gehängt. Solches machte ich mir nun trefflich zunutz, dann da ich zu der Damen kame, trafe ich mit meiner Wahrsagung so nett[14] zu, daß sie auch alle Kalendermacherei[15], ja der elenden[16] Madamoisellen Meinung nach alle Propheten samt ihren Prophezeiungen übertrafe. Sie klagte mir endlich ihre Not und begehrte zu vernehmen, ob ich kein Mittel wisse, den variablen[17] Liebhaber zu bannen und wieder in das gerechte Gleis zu bringen. »Freilich, dapfere Dame«, sagte ich, »er muß wieder umkehren und sich zu Eurem Gehorsam einstellen, und sollte er gleich einen Harnisch anhaben wie der große Goliath.« Nichts Angenehmers hätte diese verliebte Tröpfin hören mögen als eben dies und begehrte auch nichts anders, als daß meine Kunst alsobald ins Werk gesetzt würde. Ich sagte, wir müssen allein sein, und es müßte alles unbeschrieen[18] zugehen. Darauf wurden ihre Mägd abgeschafft und ihnen das Stillschweigen auferlegt; ich aber gieng mit der Madamoisellen in ihr Schlafkammer. Ich begehrte von ihr einen Trauerschleier, den sie gebraucht, als sie um ihren Vater Leid getragen, item zwei Ohrgehäng, ein köstlich Halsgehäng, das sie eben anhatte, ihren Gürtel und liebsten Ring. Als ich diese Kleinodien hatte, wickelt ich sie zusammen in den Schleier, machte etliche Knöpf[19] daran, murmelte unterschiedliche närrische Wörter darzu und legte alles zusammen in der Verliebten Bette; hernach sagte ich, wir müssen miteinander in Keller. Da wir hinkamen, überredet ich sie, daß sie sich auszöge bis aufs Hembd, und unterdessen, als solches geschahe, machte ich etliche wunderbare Charac-

teres[20] an den Boden eines großen Fasses voll Wein, zoge endlich den Zapfen heraus und befahl der Damen, ihren Finger vorzuhalten, bis ich die Kunst mit dem Zapfen droben im Hause auch der Gebühr nach[21] verrichtet hätte. Da ich nun das einfältige Ding dergestalten gleichsam angebunden, gieng ich hin und holete die Kleinodien aus ihrem Bette, mit welchen ich mich ohnverweilt aus der Stadt machte.
Aber entweder wurde dieser fromme, leichtglaubige Verliebte[22] samt den Seinigen vom gütigen Himmel beschützt, oder ihre Kleinodia waren mir sonst nicht bescheret, dann ehe ich unser Lager mit meiner Beute gar erreichte, erdappte mich ein vornehmer Offizier aus der Guarnison, der solche wieder von mir fordert'. Ich laugnete zwar, er wiese mir aber was anders; doch kann ich nicht sagen, daß er mich geprügelt, hingegen aber schweren, daß er mich rechtschaffen gedegelt[23] habe; dann nachdem er seinen Diener absteigen lassen, um mich zu besuchen, ich aber demselbigen mit meinem schröcklichen Ziegeunermesser begegnet, mich dessen zu erwehren, siehe, da zog er von Leder und machte mir nicht allein den Kopf voller Beulen, sondern färbte mir auch Arm, Lenden und Achseln so blau, daß ich wohl 4 Wochen daran zu salben und zu verblauen[24] hatte. Ich glaube auch, der Teufel hätte bis auf diese Stund noch nicht aufgehöret zuzuschlagen, wann ich ihm meine Beut nicht wieder hingeworfen. Und dieses war for diesmal der Lohn beides, meiner artlichen Erfindung und des künstlichen Betrugs selbsten.

Das XXVIII. Kapitel

Courasche kommt mit ihrer Compagnie in ein Dorf, darinnen Kirchweih gehalten wird, reizet einen jungen Ziegeuner an, eine Henne totzuschießen; ihr Mann stellet sich, solchen aufhenken zu lassen; wie nun jedermann im Dorf hinauslief, diesem Schauspiel zuzusehen, stahlen die Ziegeunerinnen alles Gebratens und Gebackens und machten sich samt ihrer ganzen Zunft eiligst und listig darvon.

Unlängst nach diesem überstandenen Strauß[1] kam unsere ziegeunerische Rott von den Königsmarckischen Völkern wieder zu der schwedischen Hauptarmee, die damals Torstenson[2] kommandiert und in Böhmen geführt, allwo dann beide Heer zusammenkamen[3]. Ich verbliebe samt meinem Maulesel nicht allein bis nach dem Friedenschluß bei dieser Armada[4], sondern verließe auch die Ziegeuner nicht, da es bereits Frieden worden war, weil ich mir das Stehlen nicht mehr abzugewöhnen getrauete. Und demnach ich sehe, daß mein Schreiber noch ein weiß Blatt Papier übrig hat, also will ich noch zu guter Letzt oder zum Valete[5] ein Stücklein erzählen und daraufsetzen lassen, welches mir erst neulich eingefallen und alsobalden probiert und praktiziert hat werden müssen, bei welchen der Leser abnehmen kann, was ich sonst möchte ausgerichtet haben und wie artlich ich mich zu den Ziegeunern schicke.

Wir kamen in lothringischen Gebiet einsmals gegen Abend vor einen großen Flecken, darinnen eben Kürbe war, welcher Ursachen wegen und weil wir einen ziemlichen starken Troppen von Männern, Weibern, Kindern und Pferden hatten, uns das Nachtläger rund abgeschlagen wurde. Aber mein Mann, der sich for den Obristleutenant ausgab, versprach bei seinen adelichen Worten, daß er gut for allen Schaden sein und, weme etwas verderbt oder entwendet würde, solches aus dem Seinigen bezahlen und noch darzu den Täter an Leib und Leben strafen wollte; wormit er dann endlich nach langer Mühe erhielte, daß wir aufgenommen wurden.

Es roche überall im Flecken so wohl nach dem Kürbe-Gebratens und -Gebackens, daß ich gleich auch einen Lust darzu bekam und einen Verdruß empfande, daß die Bauern allein solches fressen sollten; erfand auch gleich folgenden Vorteil, wie wir dessen teilhaftig werden könnten: Ich ließe einen wackern jungen Kerl aus den Unserigen eine Henne vor dem Wirtshause totschießen, worüber sich alsobald bei meinem Mann eine große Klage über den Täter erhube. Mein Mann stellte sich schröcklich erzörnet und ließe gleich einen, den wir for einen Trompeter bei uns hatten, die Unserigen zusammenblasen. Indeme nun solches geschahe und sich beides, Bauren und Ziegeuner auf dem Platz versammleten, sagte ich etlichen auf unsere Diebssprach, was mein Anschlag wäre und daß sich ein jedes Weib zum Zugreifen gefaßt machen sollte. Also hielte mein Mann über den Täter ein kurzes Standrecht und verdammte ihn zum Strang, weil er seines Obristleutenanten Befelch übergangen. Darauf erscholle alsobald im ganzen Flecken das Geschrei, daß der Obristleutenant einen Ziegeuner nur wegen einer Hennen wollte henken lassen. Etlichen bedunkte solche Prozedur zu rigorose, andere lobten uns, daß wir so gute Ordre[6] hielten. Einer aus uns mußte den Henker agieren[7], welcher auch alsobalden dem Malefikanten[8] die Hände auf den Rucken band, hingegen tät sich eine junge Ziegeunerin for dessen Weib aus, entlehnte von andern drei Kinder und kam damit auf den Platz geloffen. Sie bat um ihres Manns Leben und daß man ihre kleine Kinder bedenken wollte, stellte sich darneben so kläglich, als wann sie hätte verzweifeln wollen. Mein Mann aber wollte sie weder sehen noch hören, sondern ließe den Ubeltäter hinaus gegen einen Wald führen, an ihm das Urteil exequieren[9] zu lassen, eben als er vermeinte, der ganze Flecken hätte sich nunmehr versammlet, den armen Sünder henken zu sehen; wie sich dann auch zu solchem Ende fast alle Inwohner, jung und alt, Weib und Mann, Knecht und Mägd, Kind und Kegel, mit uns hinausbegab. Hingegen ließe gedachte junge Ziegeunerin mit ihren dreien entlehnten Kindern nicht ab, zu heulen, zu schreien und zu

bitten; und da man an den Wald und zu einem Baum kam, daran der Hennenmörder dem Ansehen[10] nach geknüpft werden sollte, stellte sie sich so erbärmlich, daß erstlich die Baurenweiber und endlich die Bauren selbst anfiengen for den Mißtäter zu bitten, auch nicht aufhöreten, bis sich mein Mann erweichen ließe, dem armen Sünder ihrentwegen das Leben zu schenken. Indessen wir nun außerhalb dem Dorf diese Komödi agierten, mausten unsere Weiber im Flecken nach Wunsch, und weil sie nicht nur die Bratspieß und Fleischhäfen leereten, sondern auch hie und da namhafte Beuten aus den Wägen[11] gefischt hatten, verließen sie den Flecken und kamen uns entgegen, sich nicht anders stellend, als wann sie ihre Männer zur Rebellion wider mich und meinen Mann verhetzten, um daß er einer kahlen[12] Hennen halber einen so wackern Menschen hätte aufhenken lassen wollen, dardurch sein armes Weib zu einer verlassenen Wittib und drei unschuldige, junge Kinder zu armen Waisen gemacht wären worden. Auf unsere Sprache aber sagten sie, daß sie gute Beuten erschnappt hätten, mit welchen sich beizeiten aus dem Staub zu machen seie, ehe die Bauren ihren Verlust innenwürden. Darauf schriee ich den Unserigen zu, welche sich rebellisch stellen und, sich dem Flecken zu entfernen, in den Wald hinein ausreißen sollten. Denen setzte mein Mann, und was noch bei ihm war, mit bloßem Degen nach, ja sie gaben auch Feuer drauf und jene hinwiederum, doch gar nicht der Meinung[13], jemand zu treffen. Das Bauersvolk entsetzte sich vor der bevorstehenden Blutvergießung, wollte derowegen wieder nach Haus; wir aber verfolgten einander mit stetigem Schießen bis tief in Wald hinein, worin die Unsern alle Weg und Steg wußten. In Summa, wir marschierten die ganze Nacht, teilten am Morgen frühe nicht allein unsere Beuten, sondern sonderten uns auch selbsten voneinander in geringere Gesellschaften, wordurch wir dann aller Gefahr und den Bauern mit unserer Beut entgangen.
Mit diesen Leuten habe ich gleichsam alle Winkel Europae seithero unterschiedlichmal durchstrichen und sehr viel Schelmenstück und Diebsgriffe ersonnen, angestellt und ins Werk

gerichtet, daß man ein ganz Ries[14] Papier haben müßte, wann man solche alle miteinander beschreiben wollte, ja ich glaube nicht, daß man genug damit hätte. Und eben dessentwegen habe ich mich mein Lebtag über nichts mehrers verwundert, als daß man uns in den Ländern gedultet, sintemal wir weder Gott noch den Menschen nichts nützen, noch zu dienen begehren, sondern uns nur mit Lügen, Betriegen und Stehlen genähret – beides, zu Schaden des Landmanns als der großen Herren selbst, denen wir manches Stück Wild verzehren. Ich muß aber hiervon schweigen, damit ich uns nicht selbst einen bösen Rauch mache[15], und vermeine nunmehr ohnedas, dem Simplicissimo zu ewigen Spott genugsam geoffenbart zu haben, von waserlei Haaren[16] seine Beischläferin im Sauerbrunnen gewesen, deren er sich vor aller Welt so herrlich gerühmet; glaube auch wohl, daß er an andern Orten mehr, wann er vermeint, er habe eines schönen Frauenzimmers genossen, mit dergleichen französischen[17] Huren oder wohl gar mit Gabelreuterinnen[18] betrogen[19] und also gar des Teufels Schwager worden sei.

Zugab des Autors

Darum dann nun, ihr züchtige Jüngling, ihr ehrliche Witwer und auch ihr verehlichte Männer, die ihr euch noch bishero vor diesen gefährlichen Chimäris[1] vorgesehen, denen schröcklichen Medusen[2] entgangen, die Ohren vor diesen verfluchten Sirenen[3] verstopft und diesen unergründlichen und bodenlosen Belidibus[4] abgesagt oder wenigst mit der Flucht widerstanden seid, lasset euch auch fürterhin diese Lupas[5] nicht betören; dann einmal mehr als gewiß ist, daß bei Hurenlieb nichts anders zu gewarten als allerhand Unreinigkeit, Schand, Spott, Armut und Elend und, was das meiste ist, auch ein bös Gewissen. Da wird man erst gewahr, aber zu spat, was man an ihnen gehabt, wie unflätig, wie schändlich, lausig, grindig, unrein, stinkend beides, am Atem und am ganzen Leib, wie sie inwendig so voll Franzosen und auswendig voller Blatter gewesen, daß man sich endlich dessen bei sich selbsten schämen muß und oftermals viel zu spat beklagt.

ENDE

Wahrhaftige Ursach und kurzgefaßter Inhalt dieses Traktätleins

Demnach die Ziegeunerin Courage aus Simplicissimi Lebensbeschreibung, lib.[1] 5. cap. 6., vernimmt, daß er ihrer mit schlechtem Lob gedenkt, wird sie dermaßen über ihn erbittert, daß sie ihm zu Spott, ihr selbsten aber zu eigner Schand (worum sie sich aber wenig bekümmert, weil sie allererst unter den Ziegeunern aller Ehr und Tugend selbst abgesagt) ihren ganzen liederlich geführten Lebenslauf an Tag gibt, um vor der ganzen Welt gedachten Simplicissimum zuschanden zu machen, weiln er sich mit einer so leichten Vettel, wie sie sich eine zu sein bekennet, auch in Wahrheit eine gewesen, zu besudeln kein Abscheuen getragen und noch darzu sich seiner Leichtfertigkeit und Bosheit berühmet; maßen daraus zu schließen, daß Gaul als Gurr[2], Bub als Hur und kein Teil um ein Haar besser sei als das ander; reibet ihm darneben trefflich ein, wie meisterlich sie ihn hingegen bezahlt und betrogen habe.

Wort- und Sacherklärungen

I. Kapitel

1. Landstörzerin, Picara, Vagantin, Landstreicherin.
2. Schelle, Glocke (vgl. Grimmelshausen, *Simplicissimus Teutsch*, III, 17; *Ewig-währender Calender*, II. Materie, 32; und *Rathstübel Plutonis*, 109 [Schellenhur]); hier: altes Weib, dessen hohles Geschwätz als Schellengeklingel aufgefaßt wird.
3. springen, hüpfen (vgl. engl. to jump).
4. Atemzug.
5. Außer auf den Maulesel der Courasche auf sie selbst bezogen.
6. raumen; sein Gewissen erleichtern (vielleicht auch raumen = abrahmen, wobei Raum den Rahm [vgl. Kap. III, Anm. 28] und evtl. auch den Schmutz bezeichnet).
7. überhaupt.

7a. Nachricht.

8. sich.
9. Sexuelle Anspielung (vgl. Ende Kap. II).
10. cholerische Disposition; nach der alten Lehre von den Körpersäften (»humores«) eines der vier Temperamente (cholerisch, sanguinisch, phlegmatisch, melancholisch).
11. das Phlegma, einen der vier »humores«, dem Körper entziehen.
12. einzige.
13. kitzelnd, hier: sinnlich, sexuell.
14. lat. sanguis = Blut; heiß-, leichtblütig, lebhaft (vgl. Anm. 10).
15. Vgl. Anm. 10; hier: schwarze und gelbe Galle sowie Schleim als drei der vier »humores«.
16. beschwöret.
17. Schlauberger, loser Vogel; die gleiche Wendung findet sich im *Achten Diskurs* von Garzonis *Allgemeinem Schauwplatz*, Grimmelshausens vielbenutzter Quelle.
18. Ironisch: freilich!, von wegen!
19. leichtfertiges Frauenzimmer, Dirne (Tier- bzw. Pelzmetapher für die weibliche Scham).
20. gänzlich.
21. Gurre, Gorre, abschätzig: (Pferd) Stute.

II. Kapitel

1. Libuschka, Libussa; böhmischer Vorname (vgl. z. B. Musäus' Volksmärchen »Libussa« und Grillparzers Drama).
2. slawisch (vgl. Grimmelshausen, *Teutscher Michel*, 2, wo die slawischen Einzelsprachen vom Oberbegriff des »Slavonischen« abgeleitet werden).
3. Prachatitz, Stadt westlich von Budweis (vgl. Anm. 12).
4. angehalten, angelernt.
5. Herzog Maximilian von Bayern (1573–1651); nach Arthur Bechtold stammen die historischen Angaben der *Courasche* aus Eberhard von Wassenbergs *Erneuwerten Teutschen Florus*, Frankfurt 1647 (vgl. auch Gustav Könnecke, *Quellen*).
6. Karl Bonaventura von Longueval, Graf von Bucquoy (1571 bis 1621), kaiserlicher General.
7. nach.
8. Friedrich V., Kurfürst von der Pfalz, der »Winterkönig«; besiegt in der Schlacht am Weißen Berg am 8. 11. 1620 (vgl. Kapitel III).
9. nachzudenken über.
10. Gemälde.
11. Tauben, alberne Einfälle, Phantastereien (wohl von der Flatterhaftigkeit der Taube und evtl. von der Bedeutung »dumm«, »närrisch« des Wortes »taub«).
12. Stadt südlich von Prag, an der Moldau. – Tatsächlich nahmen beide Feldherren gemeinsam Budweis ein.
13. rechtzeitig.
14. von solcher Natur, veranlagt, geartet.
15. Kirbe(i), Kirmes (Kirchweih als Gelegenheit, bei der es drunter und drüber ging).
16. frz. fourrager = Futter holen (plündern).
17. wahrhaftig, in der Tat, wirklich.
18. Werg (Kauder), Abfall von Hanf oder Flachs (vgl. Grimmelshausen, *Continuatio des abentheurlichen Simplicissimi*, 11).
19. Hier: Heimatland; vom Kontext her zu verstehende Metapher.
20. heikel, zart, delikat.
21. ohne daß ich zu erkennen gegeben hätte.
22. plumper, grober Mensch (von Knolle).
23. schmeicheln.
24. frz. net(te) = sauber, rein.
25. herrichten, sorgen für.

26. Inbegriff.
27. Waffen allgemein.
28. Ohrfeige (als Zeichen der Wehrbefähigung; vgl. Ritterschlag).
29. fluchen wie ein Dieb oder Schelm (oder im Sinne der Schwurformel: »Ein Dieb [Schelm] will ich sein, wenn . . .«).
30. worum.

III. Kapitel

1. reiterisch = hier: räuberisch (zu: Reuter = Freibeuter).
2. noch der Tausendste.
3. übergeben, erobert werden.
4. Böhmische Stadt westlich von Prag.
5. d. h. der Herzog von Bayern, Maximilian.
6. Johann Georg von Sachsen (1611–56).
7. Lausitz.
8. Vgl. Kap. II, Anm. 7.
9. Verwundung.
10. Alfons X. (»der Weise« oder »der Astronom«) von Kastilien (1252–82); Dichter, Philosoph, Astronom; ließ 1248–52 die *Alfonsinischen Tafeln* zur Berechnung des Standes der sieben klassischen Planeten anfertigen.
11. Wohl: sich nichts vergeben könnende, keinerlei Verlust oder Beeinträchtigung duldende.
12. sich preisgeben.
13. fröhlich, lustig, übermütig.
14. Mährische Städte, 1621 von Bucquoy erobert.
15. montieren, hier: kleiden, ausrüsten (vgl. Montur).
16. Hier wohl als Verb aufzufassen, obwohl für Grimmelshausen ungewöhnlich.
17. Etwa: sogar.
18. Am Ende.
19. herausplatzen, ausplaudern (mit der Bedeutungsnuance von »vorschnell sein«).
20. entrinnen, entschlüpfen.
21. »Anpfiff«, Rüge (letztlich von der groben Bauernkleidung).
22. verhüllt ausdrücken (vgl. verzwickt).
23. Fetzer (eigentl. großer Degen) bezeichnet auch den Hintern oder die weibliche Scham.
24. riskierte, Gefahr lief.
25. Hier im Sinne von Fortuna (Glücksgöttin).
26. Hier etwa: wie denn auch.

27. gelang.
28. Rahm.
29. Zieger, Käseart (aus Molke).
30. Etwa: ein Spiel (Puppenkram, Spielzeug).
31. ordentlich, ordnungsgemäß.

IV. Kapitel

1. beides . . . und = sowohl . . . als auch (vgl. engl. both . . . and).
2. in die Enge treiben, gehorsam machen, zur Erfüllung seiner Pflicht treiben. (Im Chor der Klosterkirche hielten Nonnen und Mönche den Gottesdienst ab.)
3. Vgl. Richter 11, bes. Vers 39.
4. Zurlastfallen, Belästigung, Aufdringlichkeit.
5. toll(es), prächtig, schön.
6. Braut, Ehefrau.
7. Sprichwörtlich: verlorengehen; vielleicht zurückzuführen auf die Bitte des lat. Vaterunser: »Ne nos inducas in tentationem.«
8. einen Schloßbesitzer heiraten wollen(?), d. h. etwas damit erreichen wollen; oder: ein Schloß zum Absperren erwerben wollen(?).
9. Mai 1622.
10. Gabriel Bethlen, Fürst von Siebenbürgen (1580–1629), mit Friedrich V. verbündet.
11. St. Georgen (Szt. György), Bösing (Bazin), Modern (Modor): Städte am Fuß der Kleinen Karpaten.
12. Tyrnan, ebenfalls an den Kleinen Karpaten gelegen; Altenburg, südlich Preßburg; Insul: Donauinsel Schütt.
13. Neusohl: Stadt in der Nähe von Kremnitz; irrtümlich für Neuhäusel/Neutra eingesetzt.
14. dazu bewegt, veranlaßt.
15. angespornt, getrieben.
16. sich.
17. (frz.) Mätresse, Geliebte.
18. (gr.) Kriegslist.

V. Kapitel

1. Ambassadeur, Gesandter, Botschafter.
2. Goldmünze (5 Taler).
3. Küche.
4. sparsam zu wirtschaften.

5. Daus-As (Spielkarte), Teufelskerl, übersteigernder Ausdruck zur Charakterisierung der Witwe.
6. Höflinge.
7. aufhielt (Wortspiel mit: sich enthalten = abstinere?).
8. aufpflanzen = sich schmücken, aufputzen.
8a. sichere.
9. (lat.) geneigt.
10. frisieren.
10a. Die Turteltaube bedeutet allegorisch-emblematisch die Treue nach dem Tode des Partners und damit die trauernde Witwe.
11. wohl, gut.
12. lieh.
13. Berühmtester Ritter- und Liebesroman der Zeit.
14. Sexuelle Anspielung.
15. Anträge.
16. Wortspiel: melancholisch und maulhängerisch.
17. an derselben Krankheit litten.
18. (lat.) taubenfarben.
19. bereitete Malz, d. h. scheffelte, erzielte großen Gewinn.
20. in hartem Geld, geprägten Münzen (lat. species = Art).
21. (lat.) Lebensmittel.
22. nächtlicher Besuch, Beischlaf.
23. ein Teil, einige.
24. das Gewehr durch Zauber unbrauchbar machen.
25. Kalesche, leichte, vierrädrige Kutsche.

VI. Kapitel

1. im Frieden liegenden.
2. versehen, gekennzeichnet.
3. Bauernhof.
4. geringste (vgl. schlicht).
5. bekam ihnen schlecht (vgl. *Simplicissimus Teutsch*, III, 18); Hunde fressen Gras, um sich übergeben zu können.
6. geteilt (lat. pars = Teil).
7. die Sache zu seinem Vorteil wendete.
8. Aufenthaltsort, Wohnsitz.
9. Ort in der Oberpfalz, wo Graf Ernst von Mansfeld (1580 bis 1626), einer der Heerführer der Union, bis zum Frühjahr 1622 ein festes Lager bezogen hatte.
10. durch Übereinkunft (frz. accord = Übereinstimmung).

11. frz. serviteur = Diener.
12. einsichtsvoll, vernünftig, diskret.
13. neckte (lat. vexare = quälen, plagen).
14. Vgl. Kap. III, Anm. 15.
15. quer, nach Frauenart.
16. Steigbügel.
17. nach Männerart mit gespreizten Beinen, rittlings.
18. frz. rencontre = Begegnung, Treffen, Gefecht.
19. frz. à part = abgesondert, hinter den Kämpfenden.
20. frz. plumage = Federbusch.
21. Kampf, Streit, Prügelei (gewöhnlich Ende eines Bettlergelages).
22. Faulenzer; hier: Feiglinge (vgl. auf der Bärenhaut liegen).
23. frz. bandelier = Wehrgehänge.
24. abseits von der Schlachtordnung.
25. verwunden.
26. (sexuell) unvermögenden.
27. seiner »Verträulichkeit« gerecht wurde, d. h. ihm treu blieb (von der Farbbeständigkeit bei Textilien).
28. militärischer Rang, hier mit wörtlicher Bedeutung: frz. lieu tenant = Stellvertreter.
29. sparsam.
30. (lat.) Wohlstand; hier etwa: von so glücklicher Hand, was die Vermehrung unseres Wohlstands anging.
31. tadeln, Vorhaltungen machen.
32. nach meinem Sinn verfuhr (vgl. seinen Kopf durchsetzen).
33. (lat.) Partikel, Teil.
34. Sexuelle Anspielung.
35. Wiesloch: südlich Heidelberg; Niederlage der Bayern gegen den Mansfelder am 27. 4. 1622.

VII. Kapitel

1. (lat.) ungelegen, lästig (vgl. Kap. IV, Anm. 4).
2. Angelegenheit, Sache.
3. Sexuelle Anspielung.
4. Am Neckar; Sieg Tillys über den Markgrafen von Baden-Durlach am 6. 5. 1622.
5. Heilbronn am Neckar.
6. Fähnrich (bei der Kavallerie).
7. in seinem Werben erfolgreich war, mein Jawort erhielt; (löf-

feln von Löffel als Weiterbildung von Laffe [laffen = Lecken, Schlürfen des naschenden Kindes]).

8. eigtl.: (kaiserliches) Amtsgebäude; hier wohl: die Kaiserpfalz bei Wimpfen.
9. meisten.
10. lang (dauernd).
11. beanspruchen (lat. praetendere = Ansprüche vorgeben).
12. Anspruch.
13. Waschbecken (lat. lavare = waschen).
14. Narr, Querkopf (auch: Stier, Zuchtstier).
15. schief.
16. raffte.
17. Gegner.

VIII. Kapitel

1. besagten.
2. Feindberührung suchen, an einem Streifzug teilnehmen.
3. Versorgungstruppen.
4. it. battaglia = Schlacht.
5. Vgl. Kap. VII, Anm. 4.
6. Wortspiel mit »Treffen« = Gefecht, Schlacht.
7. Herzog Christian von Braunschweig wurde am 2. 7. 1622 (Datum nach dem *Teutschen Florus*) von Tilly bei Höchst am Main geschlagen.
8. frz. caracole = Schneckenhaus; Schwenkung einer Kavallerieeinheit; hier wohl: Kampfgetümmel.
9. den Angriff erneuern (frz. charge = Angriff; lat. duplare, frz. doubler = verdoppeln).
10. Schwadron, Kavallerieeinheit.
11. Geldbeutel, Menge.
12. Braunen.
13. verdorben, verpfuscht, nichtig (von: humpeln = schlecht gehen).
14. Zwitterwesen; in der griechischen Sage von Hermes und Aphrodite gezeugt.
15. Amazonen, mythisches kriegerisches Frauenvolk.
16. Am 23. 10. 1622 eingenommen.
17. Seit dem 19. 9. 1622 belagert.
18. Gonsalvo de Corduba, seit 1621 Oberbefehlshaber der spanischen Truppen.
19. Johann Jakob Graf zu Anhalt, einer der ligistischen Heerführer.

20. Fleurus: belgische Stadt westlich Namur (lt. Floriacum); das Gefecht fand am 29. 8. 1622 statt.
21. Blitz-, Wetterhexe.

IX. Kapitel

1. Astrologische Metapher: sie kein Glück mehr hat.
2. Ärger, Verdruß hatte.
3. (lat.) Potentat: Mächtiger; hier: die wenig vermochten und besaßen.
4. geschlüpft.
5. schlossen aus, mieden.
6. quälte, peinigte (von Scherge).
7. Schnapphähne (vgl. *Simplicissimus Teutsch*, II, 16).
8. Kurzform von Valentin; der hl. Valentin wurde oft statt des Teufels angerufen.
9. frz. hasard = Wagnis; hier wohl: Wagemut.
10. das kalte Grauen angekommen wäre (fiebrige Krankheit, die man nach dem Volksglauben aus Angst bekam).
11. feindlich gesinnt.
12. besondere.
13. töten, aus dem Wege räumen.
14. Gefecht, Kampf (lat. occasio = Gelegenheit [für einen Handstreich]).
15. in Reichweite lag.
16. empfehlend (frz. recommender = anbefehlen).
17. Unterschrift (lat. subscribere = darunterschreiben).
18. der wie ein Offizier ausgerüstet war, obwohl er keiner war.
19. Galan: (vornehmer) Liebhaber.
20. Eine trotzige obszöne Gebärde (als Bild der weiblichen Scham) machen (vgl. *Simplicissimus Teutsch*, V, 3).
21. Vgl. Kap. V, Anm. 5.

X. Kapitel

1. vornehmen Geschlechter, Patrizier.
2. einfach, schlicht.
3. kitzlig, hier etwa: sinnlich.
4. ärmer als.
5. Rausch.
6. leiblicher Vater; die hier und später genannten Merkmale könnten auf den Grafen Heinrich Matthias von Thurn deuten,

der sich im Oktober 1622 auf der Flucht vor dem Kaiser in Konstantinopel aufhielt.
7. Nachrichten.
8. Pforte, d. h. Hohe Pforte, türkische Bezeichnung für die Residenz des Sultans.
9. Hofdame.
10. traf ich ein Übereinkommen (vgl. Kap. VI, Anm. 10).
11. Vgl. Kap. IV, Anm. 15.
12. auszugeben.
13. Herrschaft(sbereich); hier: (gebieterisches) Auftreten.
14. Angeber, Prahlhänse.
15. schröpfen, plündern (eigtl.: jemanden vor Gericht verklagen).
16. testamentarisch vermachen.
17. frz. Befehl.

XI. Kapitel

1. anschwärzen, in einen üblen Ruf bringen (»der gute Rauch« meint den Wohlgeruch von Räucherwerk).
2. Zwei Burgen südöstlich von Göttingen.
3. (lat.) Vorzeichen.
4. Laffen, Gecken.
5. (lat.) Unterstützung, militärische Verstärkung.
6. meines Dafürhaltens, meiner Erinnerung nach.
7. Ortschaft am Barenberg, südöstlich von Goslar; Sieg Tillys über den König von Dänemark am 27. 8. 1626.
8. als erstes, von Anfang an.
9. durchsuchte.
10. sehr, äußerst.
11. absichtlich, vorsätzlich.
12. Koller: breiter Kragen, auch: Wams.
13. hinterlegt.
14. immer.
15. zweifach, mit Duplikat (vgl. Kap. VIII, Anm. 9).
16. Ober-, Süddeutschland.
17. (lat.) Blüte.
18. Steinbruck: nördlich von Hildesheim; Verden an der Aller; Langwedel bei Verden; Ottersberg: zwischen Bremen und Rotenburg; Hoya an der Weser, das am 12. 12. 1626 kapitulierte.
19. fernhalten.
20. eigtl. einschlürfen.
21. von.

XII. Kapitel

1. frz. courage = Mut, Verwegenheit.
2. Vgl. Kap. VIII, Anm. 7.
3. lat. Anredeform von »Simplicissimus«.
4. blitzen, auf- und niederspringen.
5. it. carogna = das Luder.
6. vom Bier erregt, betrunken.
7. Hier wohl nicht Gemeinwesen, sondern allgemeines Kriegsunwesen.
8. eingesetzt.

XIII. Kapitel

1. (Brot) rösten; hier: aufwärmen.
2. Vgl. Kap. IX, Anm. 14.
3. (lat.) Urteil (Sentenz gebraucht Grimmelshausen maskulin).
4. Penthesilea: in der griech. Mythologie Königin der Amazonen, nahm am Trojanischen Krieg teil.
5. Zweck.
6. Etwa: den bösen Ruf zuziehen.
7. Dieser Spruch mit kleinen Abweichungen schon im VI. Kapitel.
8. (lat.) schätzen, würdigen.
9. Lösegeld (frz. rançon = Lösegeld).
10. eintauschen.
11. (lat.) Schwierigkeiten.
12. etwa: dem Vorbild in der Natur entsprechend.
13. Vgl. Kap. I, Anm. 12.
14. Aufenthalt gewährte, bei sich hielte.
15. Vgl. Kap. XI, Anm. 10.
16. Mogul, Großmogul: Titel indischer Herrscher.
17. fast, beinahe.
18. Livrée.
19. angeritten, herbeigeeilt.
20. Stadt in Mecklenburg.
21. (lat.) Geduld.
22. Drohung, etwa: jemandem auf die Sprünge helfen, Beine machen.
23. den Hunger zu verspüren (Schmalhans als Personifikation des Hungers).

XIV. Kapitel

1. Sommer und Herbst 1627.
2. Heinrich Schlick Graf zu Passau und Weißkirchen, kaiserlicher Generalfeldmarschall.
3. Absichten vereiteln, Pläne durchkreuzen, zunichte machen.
4. (lat.) Glück.
5. Eigtl. karten = Karten spielen; hier: anstellen, anfangen.
6. Vgl. Kap. XI, Anm. 10.
7. (lat.) Zustimmung, Übereinstimmung.
8. Mätresse, Geliebte (vgl. Kap. IV, Anm. 17).
9. Unteroffizier.
10. (lat.) Beruf.
11. unterfangen, versucht.
12. ins Werk setzen (vgl. bewerkstelligen).
13. Stormarn, südholsteinisches Gebiet.
14. (lat.) Art und Weise, Brauch.
15. offen, unverblümt.
16. betrügen, Hörner aufsetzen.
17. mit dem Degen zeichnen, eine Wunde beibringen.
18. zur Hand.
19. versetzte, brachte bei.
20. Anspielung auf das Aderlassen.
21. Vgl. Kap. X, Anm. 3.
22. Fuchteln, Klingen.
23. Wortspiel (anstelle – an der Stelle).
24. darauf erkennen, das Urteil fällen.
25. durch Bitten begnadigt.
26. frz. arquebuse = Büchse, Feuerrohr; daher: erschießen.
27. Untergebener des Profoses (vgl. Kap. XVIII, Anm. 9); vollzieht Prügelstrafe mit Ruten (Stecken).
28. Wald.
29. zimperlich, wählerisch (vgl. Kap. II, Anm. 20).
30. Spießruten.
31. anhaben.
32. schräg, quer.
33. Venus, die antike Liebesgöttin, war mit dem hinkenden, häßlichen Vulkan verheiratet und betrog ihn mit Mars, dem Kriegsgott.
34. legte an.
35. (lat.) Belohnung, Entschädigung.
36. fast über unsere Kraft.

37. Vgl. Anm. 28.
38. Rambold XIII., Graf von Collalto (1579–1630), General des Anfang Mai 1629 nach Italien entsandten Heeres; Johann Altringer (gest. 1634), hoher Offizier des Italienfeldzuges; Matthias Graf von Gallas (1589–1647), Führer der Vorhut.

XV. Kapitel

1. (lat.) Bedingungen.
2. fand mich durch Erkundigungen.
3. ansässig, im eigenen Haus.
4. Herbst 1629.
5. Kluge, Vernünftige.
6. manchen Weg zu mir machte (mit erotischem Nebensinn).
7. bastant; it. bastare = genügen.
8. Vgl. Kap. IX, Anm. 19.
9. entzückt, d. h. entzieht.
10. Grundbedeutung: lebendig machen.
11. Landschaft südöstlich von Hamburg.
12. Vgl. Kap. XIV, Anm. 35.
13. (lat.) entgegnete.
14. anstand, angemessen war.
15. Vgl. Kap. XIII, Anm. 3.
16. (lat.-frz.) Knechtschaft (vgl. Kap. VI, Anm. 11).
17. ersticken.
18. (lat.) Freiheit.
19. Löffler = Verliebter, Buhler (vgl. Kap. VII, Anm. 7).
20. Vgl. Kap. VI, Anm. 11.
21. Herrschaft (vgl. gebieten).
22. böse, finster, mürrisch (vom Geschmack auf die Mimik übertragen).
23. anzusehen bzw. dreinzusehen.
24. obengenannte.
25. sich schriftlich verpflichten.
26. griff an mein Geld, legte Geld an.
27. wucherte. Da Juden keine Waffen tragen durften, wurde der Wucher, als ›Waffe‹ des Juden, seit dem 15. Jh. mit einer Metapher aus dem Turnierwesen Judenspieß genannt.

XVI. Kapitel

1. nett = tadellos, untadelig.
2. hier wohl: gieriger (vgl. aber die *Continuatio des abentheurlichen Simplicissimi*, 3).
3. Koloß von Rhodos, eines der sieben antiken Weltwunder, Monumentalstatue des Helios am Hafen von Rhodos.
4. herumnesteln: knüpfen; hier: sich an etwas zu schaffen machen.
5. lat. salva venia = mit Verlaub (Grimmelshausen: »mit wohlgeneigter Gunst!« Vgl. Kap. XXIV, Anm. 4).
6. Heiratsnotul: lat. notula = kurze Bemerkung; hier etwa: Heiratsklausel.
7. Vgl. bes. *Simplicissimus Teutsch*, II, 31 und III, 2.
8. Philippsburg: für Offenburg, das Philipp Hannibal von Schauenburg, einer von Grimmelshausens späteren Dienstherren, befehligte.
9. ausgemachter Schelm.
10. (lat.) Geschicklichkeit, Gewandtheit.
11. verhöhnte, hänselte mich, forderte mich heraus (vgl. Trotz).
12. steht es so, wenn es so ist.
13. übrigen, bleibenden.
14. Stimmung, Laune, Wesen (vgl. Kap. I, Anm. 10).
15. Gutdünken, Meinung, Anordnung.
16. Bestechungsgelder (scherzhaft mit lat. Endung); (vgl. *Simplicissimus Teutsch*, I, 16).
17. lat. prae = vor; Vorrang.
18. Sexuelle Anspielung.

XVII. Kapitel

1. In Analogie zu »Simplicissime« gebildete Anredeform zu »Simplex« (vgl. Kap. XII, Anm. 3).
2. Vater (vgl. *Simplicissimus Teutsch*, I, 1).
3. Winter 1629/30.
4. it. puttàna (Pl. puttàne) = Dirne.
5. italienischen.
6. Vgl. Anm. 4.
7. schwörend.
8. (frz.) Beleidigung, Beschimpfung.
9. Ameiseneier verursachten angeblich Blähungen; vgl. den *Ewigwährenden Calender*, II. Materie, 233.
10. erwog.

11. schmollen, trotzen.
12. verleiden.
13. Hier: Ordnung (vgl. dagegen Kap. X, Anm. 17).
14. Vgl. Kap. VI, Anm. 13.
15. nach unten führenden.
16. Obszönes Wortspiel.
17. Speziell Kloakenreiniger.
18. Vgl. Kap. XV, Anm. 19.
19. (lat.) Ausführender.
20. Goldenes Vlies der Argonautensage.
21. blutt: glatt, kahl, nackt.
22. bröckeln, brocken (vgl. Brösel).
23. Hier: Toilettenpapier (vgl. *Continuatio des abentheurlichen Simplicissimi*, 11 f.).
24. (lat.) das heimliche Gemach, Toilette.
25. geizige.
26. gesondert, abseits, einzeln.
27. verloren und verunreinigt.
28. schimpfen, toben (vgl. Koller).
29. Oberitalienische Stadt.
30. Casale: damals wichtige Festung am Po.
31. in Gunst stand, viel galt.
32. Wortspiel (riechen und rächen).
33. Erz-, Oberfurzerin (vgl. Grimmelshausen, *Springinsfeld*, 11).

XVIII. Kapitel

1. Hier: übermächtig, groß.
2. gleichgültig.
3. (lat.) fortgeführt.
4. einerlei, wie auch immer, kurz.
5. (lat.) vorankam, zu Wohlstand kam (vgl. Kap. VI, Anm. 30).
6. (lat.) erhalten, beschützen.
7. verschiedenartige Kaufmannswaren; vgl. den vorausgehenden Text.
8. Vgl. Kap. V, Anm. 21.
9. Im alten Heerwesen der Stockmeister, Disziplinaroffizier eines Regiments.
10. Wortspiel (Mähre und frz. mère = Mutter, hier: Ehefrau).
11. Gerede (vgl. sagen).
12. Venus, Liebesgöttin (vgl. Kap. XIV, Anm. 33).

13. zufällig, ohne Absicht.
14. als ich ihn traf, er mir begegnete.
15. Schelm, Gauner (vgl. lauern).
16. Märchen- und Volksbuchfigur; lat. fortunatus = glücklich, vermögend.
17. bedürfte.
18. vorenthalten, verhehlt.
19. Priester und Freund des Königs Salomo; vgl. 1. Könige 4, 5.
20. Marktschatz: was auf dem Markt Geld einbringt, verkäufliche Ware.
21. Wortspielerisch verstümmelt für: lat. spiritus familiaris = Hausgeist (lat. stirpitus = von Grund aus, gänzlich; lat. flamma = Flamme: »[...] wer ihn hat, bis er stirbt, der muß [...] mit ihm in die ander Welt reisen, welches ohne Zweifel seinem Namen nach die Höll sein wird, allwo es voller Feuer und Flammen sein soll«).
22. (frz.) Vorteil.
23. (lat.) Verzweiflung.
24. verkaufte.
25. lat. lumen = Licht, hier: Gott.
26. lat. flamen = Priester; hier: Geist (erneutes Wortspiel mit »Flamme«).
27. klug, verständig, vorsichtig.

XIX. Kapitel

1. Vgl. Kap. XVII, Anm. 30.
2. Bürger von Jerusalem, Juden. Hierosolyma, griech. Name von Jerusalem.
3. Auf Zypern sollen sich die Jungfrauen den Fremdlingen verkauft haben, um die Aussteuer zu verdienen; zugleich als Anspielung auf Venus gedacht, die von dieser Insel stammen soll.
4. alttestamentliche Verführerin (vgl. 2. Könige 9, 30 ff.).
5. Schneidersprache: geschnitten, Kleidungsteile zusammengeheftet; hier: begonnen, zusammengebracht.
6. Eigtl. Vogelfänger, hier: Buhler, Werber.
7. (lat.) Palast, Hof.
8. nachdem es lange gewährt hatte, nach langem Hin und Her.
9. kleine Schweizer Münze.
10. (lat.) veräußern, austauschen.
11. Umfang (vgl. lat. circus = Kreis[linie]).

12. Feldgeschütze (eine normale Kartaune verschoß 25-Pfund-Kugeln).
13. stützte.
14. Handgriff.
15. im Fallen metallisch hohl tönen, langsam hinabrutschen und dabei klingen.
16. dumpf.
17. (lat.) aufgelöst, zersetzt.
17a. erwähnte.
17b. nur.
18. die Sache abgemacht, beschlossen.
19. messingenen, aus Messing.
20. A(qua) R(egis), Königs-, Scheidewasser.
21. ist (zum Heben) reif, die siebenjährige Wartezeit ist vorüber.
22. Astrologische Wendung; vielleicht: »solange die Sonne noch im Tierkreiszeichen des ›Skorpions‹ steht« (Gemeinsamkeit des Stachels?).
23. ungestört (durch Anruf eines Fremden), unbemerkt.
24. Imbiß (lat. collatio = Beitrag, Zusammenstellung).
25. Transitiv: zu befreien, zur Flucht zu verhelfen.
26. Rübenschnitzel.
27. Vgl. Kap. XVI, Anm. 10.
28. frz. chose(s) = Sache(n)

XX. Kapitel

1. Juwelen.
2. vergelten (eigentlich etwa: wollte ich wenigstens die Zinsen ihres Anteils einstreichen).
3. Stall, Vorratskammer, Schlafzimmer; hier: Verkaufsraum.
4. Stufen.
5. leicht, einfach.
6. Bund, Rolle.
7. Vgl. Kap. XIX, Anm. 19.
8. Weniger Vorsicht als Vorwitz.
9. Reiterwämser (vgl. Kap. XI, Anm. 12).
9a. Vgl. Kap. III, Anm. 20.
10. Widersachern, Konkurrenten.
11. Anspielung auf den Wallenstein zugeschriebenen Ausspruch vor Stralsund (1628), er wolle die Stadt erobern, und wäre sie mit Ketten an den Himmel gebunden.
12. behielt seinen Besitz nicht.

XXI. Kapitel

1. Am 18. 7. 1630.
2. Vgl. Kap. VI, Anm. 7.
3. Gesindlein, kleines Gesinde.
4. vernachlässigte, kümmerte sich nicht um (in einem guten Erntejahr wächst alles von selbst).
5. abgerichtet, verführt.
6. Balken, Stock; hier: kräftige Kerle.
7. zutraulich, vertrauensselig.
8. einen Fehler begehen, sich auf etwas Dummes einlassen, einen dummen Streich machen.
9. stark, reichlich (haufenweise).
10. türmisch = schwindelig, betäubt.
11. Litanei, Gardinenpredigt.
12. Hundsfott, Schurke.
13. Aufseher über die Huren beim Heer.
14. anziehender (eigtl.: an das Gewand stoßend).
15. Mehr temporal (dieweil) als kausal zu verstehen.
16. schwatzten (vgl. plappern).
17. darangingen, befaßt waren, sich bemühten.
18. krabbelte.
19. Wache.
20. leiblicher Eid: feierlicher Schwur unter Berührung des Körpers eines Heiligen oder mit zu Gott emporgestreckten Fingern.
21. Chance, etwa: Einsatz mit Gewinnchance.
22. Vgl. Kap. XIII, Anm. 3.
23. Gen. Pl. (zeugmatisch, zu ergänzen: »sind« oder »wünsche ich mir«).
24. gefeit gegen, sicher vor.
25. Teidungsmann, Schiedsrichter (Teiding = gerichtliche Verhandlung).
26. (lat.) Vorgehen (vgl. Prozedur).
27. feiern = ablassen von, schonen, in Ruhe lassen.
28. fortwährend.
29. Silbergeld.

XXII. Kapitel

1. zuletzt (Letze: Abschiedsmahl).
2. Kriegslist.
3. 29. 7. 1631.

4. Savoyen, französische Landschaft.
5. Carlo Gonzaga, Herzog von Nevers (1580–1637).
6. Wohl die damals deutschen Provinzen Österreichs (vgl. die spätere Erwähnung des Salzburger Holzbauern).
7. Mischung der vier »humores« im menschlichen Körper (vgl. Kap. I, Anm. 10); Aussehen, Leibesbeschaffenheit, Temperament.
8. wie auch immer (vgl. Kap. XVIII, Anm. 4).
9. »blaue Augen«.
10. Anschein.
11. Partisane: spießartige Stoßwaffe.
12. Gaukelfuhre, Benehmen eines Gauklers, Narrenpossen (vgl. *Simplicissimus Teutsch*, III, 10).
12a. Akzent wohl noch auf der wörtlichen Bedeutung, doch zugleich wortspielerischer Bezug auf den vorausgehenden Kausalsatz mit dem Sinn der Kurzweil.
13. (lat.) Kirchengericht.
14. (lat.) Beisitzern.
15. hochzuspielen, zu übertreiben.
16. Vgl. Kap. XV, Anm. 13.
17. Abmachung (vgl. Kap. VI, Anm. 10).
18. abfinden, bezahlen; überlisten.
19. einst.
20. (lat.) desgleichen, ferner.
21. Vorbereitung, Anleitung, Einfluß.
22. ausgezahlt, versorgt.
23. Grillen, verstiegene Einfälle (Würmer als Erreger von Krankheiten, hier: in Geist und Gemüt).
24. Prägung; hier: Preis, Bedingung (vgl. Anm. 18).
25. (frz.) allgemeine Zusammenkunft, hier wohl: Musterung der Truppen.

XXIII. Kapitel

1. (frz.) paßte mich an.
2. (lat.) geduldete (vgl. Kap. XIII, Anm. 21).
3. Nachricht, Neuigkeit (vgl. Kap. X, Anm. 7).
4. Am 4. 5. 1632.
5. Einzug des schwedischen Königs Gustav Adolf II. am 17. 5. 1632 in München.
6. Johann Georg von Arnim (1581–1641), sächsischer Heerführer.
7. Am 13. 5. 1634.

8. Arnim stand Ende Juli 1634 in der Nähe Prags.
9. König Ferdinand III., Sohn Kaiser Ferdinands II., später röm.-deutscher Kaiser. Seit 1625 war er ungarischer und seit 1627 böhmischer König.
10. Belagerung Regensburgs Mitte Mai bis Mitte Juli 1634.
11. Vgl. Kap. XIV, Anm. 38.
12. Vgl. Kap. XI, Anm. 5.
13. Türme.
14. Vgl. Kap. X, Anm. 17.
15. Hier: Heeresmacht (span. armada = [Kriegs-]Flotte).
16. Belagerung Nördlingens seit dem 18. 8. 1634.
17. Infant: span. Prinzentitel.
18. (lat.) vereinigt.
19. Donauwörth.
20. Korps, Heeresabteilung (lat. corpus = der Körper; die Flexionsform ist falsch).
21. Vgl. Kap. XI.
22. (lat.) Erbteil (eigtl. vom Vater; lat. pater = Vater).
23. Nach dem Kontext Offenburg/Baden.
24. Vgl. *Simplicissimus Teutsch*, II, 7.
25. noch lange auf sich warten ließ, noch lange ausstand.
26. (lat.) Abgaben, Tribut.
27. plump vertraulich, mit grob zugreifender Zärtlichkeit.
28. Vorteile, Kniffe, Tricks.
29. Vgl. Kap. VI, Anm. 30. Hier: Gewinn.
30. gewaschen.

XXIV. Kapitel

1. Kontakt aufnehmen, sich kennenlernen.
2. Verkürzter Relativsatz.
3. Syphilis (soll in großem Umfang zuerst im französischen Heer Karls VIII. bei der Belagerung Neapels Ende des 15. Jhs. aufgetreten sein).
4. mit Verlaub! Vgl. Kap. XVI, Anm. 5.
5. die Gesundheit fördern; zuträglich, nützlich.
6. lat. medicus = Arzt.
7. vom gleichen Schlag.
8. Vgl. *Simplicissimus Teutsch*, V, 6 ff.
9. unersättlichen, üppigen.
10. Erfindung.
11. Vgl. Kap. XVII, Anm. 24.

12. Wortspiel: lat. mobilis = beweglich, unbeständig; nobilis = vornehm, adlig.
13. Kur (Holzabkochungen) zur Behandlung von Syphilis.
14. jeder Frau (mit Schleier).
15. aufgehalst, aufgebürdet.
16. Begleitung.

XXV. Kapitel

1. Ehebrecher; lat. moechari = Ehebruch treiben.
2. Ehebrecher (nach der apokryphen *Historia von der Susanna und Daniel*).
3. Sexuelle Metapher.
4. Anteil (vgl. Kap. VI, Anm. 6).
5. Erdbeben.
6. aus vollem Halse (d. h. mit lauter Stimme).
7. (lat.) nahm (den Bestand) auf.
8. versiegelte.
9. gegensätzlich ausfiel.
10. verdarb (verschnappen = durch unüberlegtes, voreiliges Äußern etwas verraten).
11. festgehalten, notiert.
12. Vgl. Kap. XIII, Anm. 3.
13. (lat.) bekanntgegeben.
14. (lat.) gerichtlich einzuziehen.
15. vorgehen (lat. procedere).
16. Wortspiel (am Begräbnis teilnehmen – ebenfalls hingerichtet werden).
17. (lat.) Proteste, Einsprüche, Beteuerungen.
18. Eid eines Verurteilten, auf Rache zu verzichten; hier: die Stadt ohne Rache für immer zu verlassen.
19. frz. quitter = verlassen.
20. (lat.) bewegliche Habe.
21. verabfolgt, zugestanden.
22. etwa: auf diese annehmbare Weise (lat. taliter = so beschaffen, derartig; qualiter = wie [beschaffen]), so so.

XXVI. Kapitel

1. 1644.
2. Württembergische Stadt an der Kinzig.
3. gedulden (vgl. Kap. XIII, Anm. 21).

4. fristete, schleppte mein Leben hin.
5. Bayerischer Heerführer.
6. Dorf bei Mergentheim/Tauber; Niederlage Turennes am 5. 5. 1645 (vgl. Kap. XXVII, Anm. 2).
7. in Verbannung lebenden, auf der Flucht befindlichen (lat. exsulare = entfernt von der Heimat, in der Verbannung leben).
8. Vereinigung (vgl. Kap. XXIII, Anm. 18).
9. auf seinen abseitsgelegenen, heimlichen Wegen, Umwegen.
10. dort, in dieser Gegend (oder: zu solchen Zwecken).
11. Tressen.
12. vorangehen, gelingen (ursprüngl. Fuhrmannswort; vgl. die Interjektion: »hott!«).
13. Körper (vgl. Kap. XXIII, Anm. 20).
14. hier: Beine.
15. Vgl. Kap. XX, Anm. 6.
16. links.
17. es zu versorgen.
18. sich zu wehren anschickte, zur Wehr rüstete, aufstellte.
19. alte Jagd- und Bauernwaffe, später Kriegswaffe (Spieß mit Querholz hinter dem Eisen).
20. Gemeinde.
21. auszurotten, zu vernichten.
22. Entschädigung.
23. erbärmlich (Hundsklinke = erbärmlicher Kerl).

XXVII. Kapitel

1. zog mich zurück (frz. se retirer = sich zurückziehen; hier möglicherweise Volksetymologie mit retten?).
2. Turenne, Henri de Latour d'Auvergne (1611–75), französischer Marschall, Oberbefehlshaber der französischen Truppen in Deutschland.
3. Johann Christoffer Königsmarck (1600–63), schwedischer Feldmarschall.
4. Vermutlich die Wartburg bei Eisenach.
5. Vgl. Kap. XXIII, Anm. 18.
6. lat. oleum talci = Öl aus Talg; Schminke.
7. Schmiermittel, Salben, Pomaden.
8. frz. couleur = Farbe.
9. (lat.) Salben.

10. teuflisch (vgl. mhd. hellerigel = Teufel).
11. Zu Grimmelshausens Zeit galt Ägypten als Ursprungsland der Zigeuner.
12. Vgl. Kap. I, Anm. 10.
13. für sein Geld.
14. Vgl. Kap. II, Anm. 24; hier: genau.
15. Prognostik, Wahrsagung (die Kalender enthielten zu Grimmelshausens Zeit eine Fülle von Weissagungen aller Art).
16. leidenden, armen (beraubten).
17. (lat.) unbeständig, wankelmütig.
18. stillschweigend, heimlich, ohne Störung durch andere (vgl. Kap. XIX, Anm. 23).
19. Knoten.
20. Zauberzeichen.
21. wie es sich gebührt.
22. gemeint ist: »diese Verliebte«; entsprechend ist zu verstehen: »Ihrigen« statt »Seinigen«.
23. Wortspiel mit Prügel (Knüppel) und Degen.
24. von blauer Farbe zu befreien; hier: die blauen Flecken verschwinden zu lassen.

XXVIII. Kapitel

1. Auseinandersetzung, Prügelei, Szene.
2. (1603–51), schwedischer Oberbefehlshaber von 1641–46.
3. Sept./Okt. 1646.
4. Vgl. Kap. XXIII, Anm. 15.
5. (lat.) Abschied.
6. Vgl. Kap. XVII, Anm. 13.
7. (lat.) spielen.
8. (lat.) Übeltäter.
9. (lat.) vollstrecken.
10. dem Anschein nach, scheinbar.
11. Hier möglicherweise auch in der Bedeutung von »Wiegen« (rheinfränk./alemann.); danach Anspielung auf den von Zigeunern häufig verübten Kindesraub.
12. wertlosen, erbärmlichen.
13. in der Absicht.
14. Papiermaß (damals in der Regel 500 Blatt).
15. Vgl. Kap. XI, Anm. 1.
16. von welchen Haaren, welcherart.

17. syphilitischen.
18. Hexen.
19. Reflexiv zu verstehen.

Zugab des Autors

1. Chimära, feuerspeiendes Ungeheuer der griech. Sage, Mischwesen aus Löwe, Ziege und Schlange.
2. Medusa, in der griech. Mythologie eine der Gorgonen, furchtbarer Frauen mit Schlangenhaaren und versteinerndem Blick.
3. Aus der *Odyssee* bekannte Jungfrauen mit Vogelkörpern, die durch ihren wunderbaren Gesang die Seefahrer ins Verderben lockten.
4. Belides, die fünfzig Danaiden, die zur Sühne für den gemeinsamen Gattenmord im Hades ein durchlöchertes (»bodenloses«) Faß füllen müssen.
5. von diesen Lupas; lat. lupa = Wölfin.

Inhalt

1. lat. liber = Buch.
2. Vgl. Kap. I, Anm. 21.

Zum Text

Die vorliegende Ausgabe der *Courasche*, für die dankenswerterweise das Originalexemplar der Stadt- und Universitätsbibliothek Frankfurt a. M. (Signatur: Biblioth. Hirzel 132) benutzt werden konnte, versucht nach Möglichkeit den historischen Lautstand zu wahren.

Bis auf wenige Fälle, in denen Grimmelshausens intentionale Schreibweise beizubehalten war, liegt der Neufassung die gegenwärtig geltende Orthographie zugrunde. Ebenso ist die Interpunktion angeglichen, obwohl beispielsweise die Auflösung der Virgeln einen Eingriff in den Prosarhythmus bedeutet. Da Grimmelshausen direkte und indirekte Rede nicht immer scharf trennt, kann ihm zudem die Zeichensetzung einer Bearbeitung nicht voll gerecht werden. Unterschiedliche Erscheinungsformen derselben sprachlichen Elemente (so schwankende Schreibung oder wechselndes grammatisches Geschlecht) sind nicht vereinheitlicht. Durch Vergleich mit der zweiten echten *Courasche*-Edition eindeutig kenntliche Druckfehler wurden verbessert. Überhaupt waren Korrekturen der autorisierten Zweitausgabe für die Textgestaltung maßgeblich, falls sie der Gegenwartssprache näherstehen. Die Untergliederung der Kapitel in Abschnitte folgt dem Original.

Das zeitübliche Reflexivum des Dativs der 3. Person ist beibehalten worden. Ehemalige Geminaten, einschließlich *-tt-*, sind vereinfacht. Tenues und Mediä im Anlaut bleiben in der schriftlichen Fixierung dieser Ausgabe unverändert. Andererseits ist für In- und Auslaut die heutige Rechtschreibung entscheidend, da auf Grund der Auslautverhärtung kaum phonetische Änderungen entstanden sein dürften. Fremdwörter erscheinen nur dann in der gegenwärtigen Schreibung ihrer Herkunftssprache, wenn die von Grimmels-

hausen ausgedrückte Lautung unberührt bleibt. Allerdings ist in die Schreibweise »Courasche« um ihres spezifischen Signalwertes willen nicht eingegriffen worden, wenngleich im Text »Courage« überwiegt. Wortspielerische Kontaminationen wurden nicht angetastet. Unverändert ist die Schreibweise lateinischer Wörter, sofern sie strikt als solche zu werten sind. Diminutive auf *-gen*, von der modernen Orthographie abweichende Endungen auf *-ig/-ich* sowie aufgegebene Analogiebildungen (z. B. *mögte*) wurden angeglichen.
Im vokalischen Bereich sind die Zeichen *-ä-* und *-e-* gemäß heutigen Schreibregeln miteinander vertauscht, weil sie wohl überwiegend denselben offenen Laut repräsentieren. Früheres *-ie-* läßt auf diphthongische Aussprache oder zumindest phonetische Länge schließen und ist daher erhalten geblieben. – Von der Apostrophierung ist entgegen gültiger Regelung sparsam Gebrauch gemacht. Obsolete Abkürzungen sind aufgelöst worden, sofern Schreibweise und Lautung in der vollständigen Form feststanden. Der Frakturdruck des Originals wurde in Antiqua umgesetzt; verschiedenartige Schrifttypen sind nivelliert. Eckige Klammern kennzeichnen Konjekturen in verderbten Sätzen.
Für die Anmerkungen wurden die Wort- und Sacherklärungen Hans Heinrich Borcherdts, *Grimmelshausens Werke* IV, Berlin o. J. (1921), S. 447 ff., mitbenutzt.

K. H.

Auswahlbibliographie

Beck, Werner: *Die Anfänge des deutschen Schelmenromans. Studien zur frühbarocken Erzählung.* Diss. Zürich 1957.

Bender, Wolfgang [Hrsg.]: *Grimmelshausen. Lebensbeschreibung der Ertzbetrügerin und Landstörtzerin Courasche.* In: Grimmelshausen. Gesammelte Werke in Einzelausgaben. Unter Mitarbeit von Wolfgang Bender und Franz Günter Sieveke herausgegeben von Rolf Tarot. Tübingen 1967.

Feldges, Mathias: *Grimmelshausens »Landstörtzerin Courasche«. Eine Interpretation nach der Methode des vierfachen Schriftsinnes.* Bern 1969 (= Basler Studien zur deutschen Sprache und Literatur 38).

Haberkamm, Klaus [Hrsg.]: *Des Abenteurlichen Simplicissimi Ewig-währender Calender.* Faksimile-Druck der Erstausgabe Nürnberg 1671, mit einem erklärenden Beiheft. Konstanz 1967.

Haberkamm, Klaus: *»Sensus astrologicus«. Studien zu Beziehungen zwischen Literatur und Astrologie in Renaissance und Barock unter besonderer Berücksichtigung Grimmelshausens.* Diss. Münster 1969 (im Druck).

Hachgenei, Wilhelm Joseph: *Der Zusammenhang der »Simplicianischen Schriften« des Hans Jakob Christoffel von Grimmelshausen. Die Lebensbeschreibungen des Simplicius Simplicissimus, der Courage, des Springinsfeld und der Geschichten des wunderlichen Vogelnests eins und zwei.* Diss. Heidelberg 1959 (masch.).

Jacobson, John W.: *A Defense of Grimmelshausen's Courasche.* In: German Quarterly XLI (1968), Nr.1, S. 42–54.

Könnecke, Gustav: *Quellen und Forschungen zur Lebensgeschichte Grimmelshausens.* Hrsg. im Auftrage der Ge-

sellschaft der Bibliophilen von J. H. Scholte. 2 Bde. Weimar 1926 und 1928.
Koschlig, Manfred: *Grimmelshausen und seine Verleger. Untersuchungen über die Chronologie seiner Schriften und den Echtheitscharakter der frühen Ausgaben.* Leipzig 1939 (= Palaestra 218).
Scholte, Jan Hendrik: *Einige sprachliche Erscheinungen in verschiedenen Ausgaben von Grimmelshausens Simplicissimus und Courasche.* In: Beiträge zur Geschichte der deutschen Sprache und Literatur, begr. von W. Braune, H. Paul und E. Sievers 40 (1915), S. 268–303.
Scholte, Jan Hendrik: *Der Simplicissimus und sein Dichter.* Gesammelte Aufsätze. Tübingen 1950.
Streller, Siegfried: *Grimmelshausens Simplicianische Schriften. Allegorie, Zahl und Wirklichkeitsdarstellung.* Berlin 1957 (= Neue Beiträge zur Literaturwissenschaft 7).
Weydt, Günther: *Zur Entstehung barocker Erzählkunst. Harsdörffer und Grimmelshausen.* In: Wirkendes Wort, 1. Sonderheft (1952), S. 61–72.
Weydt, Günther: *Nachahmung und Schöpfung im Barock. Studien um Grimmelshausen.* Bern und München 1968.
Weydt, Günther [Hrsg.]: *Der Simplicissimusdichter und sein Werk.* Darmstadt 1969 (= Wege der Forschung CLIII).
Weydt, Günther: *Hans Jacob Christoffel von Grimmelshausen.* Stuttgart 1971 (= Sammlung Metzler M 99).

Nachwort

Grimmelshausen ist für uns der Dichter des *Simplicissimus*, der neben dem *Gargantua*, *Don Quijote* und *Gil Blas*, und durchaus gleichrangig mit ihnen, die Reihe zeitüberdauernder, realistisch-humoristischer Romane der europäischen Literatur eröffnet. Sie alle übertreffen im Urteil der Nachwelt die ritterlich-höfischen, preziös-galanten oder auch erbaulichen Ideal-Romane, in denen man damals die repräsentativen Leistungen der Zeit sah, so sehr, daß wir heute nur noch von den einst verachteten Werken sprechen. Die idealischen, von vorbildlichen Helden und untadelhaften Frauen kündenden »hohen« Romane dagegen, die *Amadis*, *Astrea*, *Arcadia*, *Argenis*, *Polexander*, *Cleopatra*, *Ibrahim*, *Rosemund*, *Assenat*, *Octavia*, *Aramena* und andere, sind jetzt fast ausschließlich den Spezialisten bekannt. Sowenig die Nachwelt in Shakespeare primär den Autor von *Raub der Lucretia* und *Venus und Adonis* sieht oder in Cervantes den von *Persiles und Sigismunda*, so wenig schätzen wir heute Grimmelshausen als den Dichter von *Dietwald und Amelinde*, *Proximus und Lympida* und dem *Keuschen Joseph*.
Die großen Schöpfer des *Gargantua*, *Don Quijote* und *Simplicissimus* sind allerdings nicht lediglich Protestschreiber und Parodisten, welche mit satirisch gemeinten Gegenstücken den damals herrschenden Geschmack ad absurdum zu führen versuchen – ein Mißverständnis, das in der Gegenwart naheliegen mag. Der Verfasser des *Simplicissimus* will keineswegs nur einen moralinfreien Schelmenroman vom sich umhertreibenden Gaunerjungen zweifelhafter Herkunft schaffen, sondern er gestaltet auch das eigene, bei aller Abenteuerlichkeit höchst gehaltvolle Leben und gibt seinem Roman-Ich eine geheimnisvolle, sich als adlig erweisende Abstammung und eine teils bäuerlich-einsiedlerische, teils vom Schrek-

ken des Krieges bestimmte Jugend. Seinen Hauptroman prägt er durch Elemente der verschiedensten Art und eine Gestaltungsfolge des Lebenslaufs, welche, nach fünf Büchern und sieben Planeten-Phasen gegliedert, sich bei aller Irrationalität und unerschöpflichen, vermeintlich ungebändigten Fülle als sinnvoll erweist.

Sein sich an den *Simplicissimus* anschließendes Buch, wir nennen es kurz *Courasche*, steht nun allerdings wieder in einem mehrfach dialektischen, bei scheinbarer Simplizität schwer durchschaubaren Zusammenhang mit Tradition und Gegentradition. Es ist so etwas wie ein Anti-Roman zum *Simplicissimus*, der selbst ja wenigstens teilweise als ein Anti-Roman aufgefaßt werden kann. Es scheint zunächst ein genaues Pendant zu ihm zu sein – nun weibliches Schicksal im Treiben des Krieges zeichnend –, umfaßt jedoch schon rein umfangmäßig weit weniger (nur *ein* Buch von 28 Kapiteln gegen fünf, später sechs, ungefähr gleichlange Bücher des simplicianischen Hauptwerks) und gestaltet dieses Schicksal in mehrfacher Hinsicht anders. Es faßt den Lebenslauf einfacher, wirkt auf den ersten Blick naturalistisch-derber, auch obszöner, aber auch ausdrücklich noch moralisierend. Es schließt sich an den *Simplicissimus* mit zwei wichtigen Figuren, der Titelheldin und dem Springinsfeld, an, erhebt sie jedoch über ihren bisherigen Rang als Statisten (und wohl teilweise gegen ihren bisher bekannten ›Charakter‹) zu Gestalten, die nun ihre eigene Nachwirkung haben können – im Barock und wieder von der Romantik bis zu Bert Brecht.

Bereits der Ansatz dieses VII. Buches im simplicianischen Zyklus bietet genug des Seltsamen und Hintersinnigen. Der kleine Roman erschien im Herbst des Jahres 1670 im Duodezformat unter dem Titel *Trutz Simplex: Oder Ausführliche und wunderseltzame Lebensbeschreibung Der Ertzbetrügerin und Landstörtzerin Courasche.* Der simplicianische Verfasser bediente sich hier jedoch nicht seiner alten Pseudonyme »Melchior Sternfels von Fuchshaim« oder »German Schleifheim von Sulsfort«, sondern eines mit diesen verwandten, anagrammatisch, das heißt durch Buchstaben-

verstellung, gewonnenen »Philarchus Grossus von Trommenheim«. Als Kerntitel scheint er *Trutz Simplex* gegenüber *Courasche* bevorzugt zu haben (vgl. das Faksimile S. 3). Schon im Titelblatt werden die Figuren Simplex und Courage – es begegnet vor allem diese Schreibweise des Namens – zueinander in Beziehung gesetzt. Der Leser ahnte also, von wem das Buch stammte und wie es gemeint war, wenn er auch zu rätseln hatte: Das Wort »Simplex« oder »Simplicissimus« trägt hier einen Doppelsinn. Vom »weit und breitbekanten Simplicissimo«, der fiktiven Person, ist im Titel der »lustig / annemlich und nutzlich« zu betrachtende *Simplicissimus* unterschieden. Und mit diesem konnte zum Zeitpunkt der *Courasche*-Veröffentlichung nur ein einziges Buch, eben *Der Abentheurliche Simplicissimus Teutsch* von 1668, gemeint sein, der sich seinerseits als »Überauß lustig / und männiglich nutzlich zu lesen« ausgegeben und einen ungewöhnlichen Erfolg erzielt hatte.
Für den aufmerksamen Zeitgenossen war mit dieser Identifikation zugleich das Inkognito des Autors von *Trutz Simplex* gelüftet. Zwei Werke waren nämlich der Publikation dieses Buches im selben Jahr vorangegangen, *Dietwald und Amelinde* und *Ratio Status*, deren Verfasser sich, bei voller Nennung des echten Dichternamens, zum quasi anonymen *Simplicissimus Teutsch* bekannt hatte. Eines davon, *Dietwald und Amelinde*, hatte zusätzlich schon auf die *Courasche* vorausgedeutet; und in ihren beiden Meßkatalogsankündigungen war der vorgebliche Schöpfer des *Simplicissimus*, »Germ(an) Schlei(f)fheim«, als ihr Autor suggeriert worden. So brauchte die Auflösung des Anagramms »Philarchus Grossus von Trommenheim« nur noch eine Probe aufs Exempel zu sein. Das Ergebnis mußte lauten: »Christophorus von Grimmelshausen«. Folgerichtig hatte auch die Entschlüsselung des gräzisierten Druckernamens, »Felix Stratiot«, den Sohn und Teilhaber von Grimmelshausens Nürnberger Verleger, J. J. Felsegkkerr (Felßecker, aus: Feliks Krieger), zu ergeben.
Über das Leben Johann Jakob Christoffel von Grimmels-

hausens, des Verfassers von *Trutz Simplex*, ist heute – wie über dasjenige Shakespeares – noch nicht allzuviel Wesentliches bekannt. Die Literarhistoriker ermittelten seinen wahren Namen erst um 1835, und etwa ein weiteres Jahrhundert dauerte es, bis Forscher wie Bechtold, Borcherdt, Könnecke, Koschlig und Scholte die wichtigsten biographisch-bibliographischen Fakten gesammelt und gesichert hatten. Das Geburtsdatum des Autors kann nicht weit von dem seines Helden liegen, das im Sommer 1622 kurz nach der Schlacht bei Höchst anzusetzen ist. Wir nehmen jetzt die Zeit um den 17. März 1621 an (vgl. Verf.: *Nachahmung und Schöpfung im Barock*, VII, 2). Grimmelshausens Geburtsort ist Gelnhausen. In dieser protestantischen Stadt in der Nähe Hanaus und des Spessarts hatten seine adligen Vorfahren die Gemeinderechte erworben. Der Großvater, der sich bürgerlich Melchior Christoffel nannte, war hier Gewerbetreibender; von den Eltern wissen wir nicht viel. Der Knabe besuchte die Lateinschule wahrscheinlich von 1628 bis zur Zerstörung Gelnhausens durch Kroaten 1634. Der Dichter hatte also, was Zeit, Raum und Schicksal anbelangt, eine Jugend, die der seines Simplex in vielem verwandt ist, und doch war er alles andere als ein in Dumpfheit aufgewachsener und ins Abenteuer geworfener Mensch.
Auch bei den weiteren Geschehnissen der Vita stehen Wahrheit und Dichtung in interessanter Relation zueinander. Die Gelnhausener protestantischen Flüchtlinge werden in die von den Schweden gehaltene Festung Hanau gebracht worden, der Knabe dort Anfang 1635 von streifenden Kroaten entführt und so später ins Hessische gekommen sein. Er hat vermutlich Erlebnisse bei der kaiserlichen Armee vor Magdeburg gehabt (*Simplicissimus Teutsch*, II, 19 ff.) und ist mit der Truppe dann nach Westfalen gelangt, wo er wohl als Pferdejunge zum Leibdragonerregiment des Feldmarschalls von Götz gehörte, einer Einheit, deren Schicksal er bis Anfang 1639 teilte. Wir finden ihn damals als Musketier, dann Hilfsschreiber bei der Besatzung der Festung Offenburg am Oberrhein in der Nähe von Straßburg.

In all diesen Landschaften und Garnisonen erlebte der spätere Autor verständlicherweise weniger von dem Übernatürlichen und Außergewöhnlichen, weniger von Hexenspuk, Becherzauber, militärischem Ruhm, Frauengunst, Weltglanz und Fahrtenschicksal – weniger auch vom Marodeurtum und Räuberwesen – als sein dichterisches Ebenbild. Dafür hat er sicherlich mehr gelesen und geschrieben und seine immer noch zahlreichen Eindrücke aus literarischen Quellen ergänzt.

Bei Kriegsende war dieser »Johann Christoffel«, wie er zu jener Zeit noch hieß, als Regimentssekretär ein wichtiger Mann geworden. Er genoß das Vertrauen des Kommandanten von Offenburg, des Freiherrn Hans Reinhard von Schauenburg, sowie des mit diesem verwandten Freiherrn von Elter, mit dem er schließlich noch einmal ins Feld zog. Nach seiner Entlassung 1649 kehrte er nach Offenburg zurück, wo er im selben Jahr heiratete. Die Eintragung im Kirchenbuch weist ihn nun als »Johann Jacob Christoff von Grimmelshausen« aus. Das Adelsprädikat steht im Einklang mit dem gesellschaftlichen Fortschritt, den die Eheschließung mit der Tochter eines Wachtmeisterleutnants für ihn bedeutete, und es zeigt auch, daß er die Spuren seiner ehemals adligen Familie in Hessen wiederaufgefunden hatte. Ob das Heiratsdokument, das ihn nun zugleich als Katholiken ausweist, etwas über seine religiöse Überzeugung besagt, ist schwer auszumachen. Da er dem kaiserlichen Heer angehört hatte, kann der Übertritt zur katholischen Kirche aus äußeren Gründen erfolgt sein. Der Roman in der Urform läßt kaum eine vorherrschende Neigung zu einer der großen Konfessionen erkennen. Später allerdings scheint die katholische Tendenz zu überwiegen. – Die Hochzeit markierte außerdem den Übergang Grimmelshausens von der wechselhaften Soldatenexistenz zur relativen Seßhaftigkeit des bürgerlichen Lebens, denn nur kurze Zeit später übernahm er die Stelle eines Verwalters bei Hans Reinhard und weiteren Mitgliedern des Hauses Schauenburg.

Seine Vergangenheit war also doch abenteuerlich genug; mit

dem Volk wie mit den Soldaten hohen und niederen Ranges und mit seiner Familie aristokratischer Herkunft sah er sich verbunden – wie Simplex. Seine Gegenwart freilich blieb bei aller Vielseitigkeit anscheinend nur bürgerlich. Er betätigte sich als »Verwalter«, wurde Burgvogt und Schultheiß, ein Mann der praktischen Tätigkeiten, dem man Vertrauen entgegenbrachte. Beziehungen zu den Großen des Landes muß er gehabt haben, denn er wirkte für sie; und nur ihnen können die vielen, teilweise höchst kostbaren Bücher gehört haben, aus denen er dann bei seiner schriftstellerischen Arbeit schöpfte. Im Jahre 1676 starb er, ein Mann »Honestus et magno ingenio et eruditione«, wie der Eintrag im Kirchenbuch lautet.

In die letzten Jahre – er war Schultheiß des Bischofs von Straßburg im kleinen Ort Renchen geworden – fällt auch die Vollendung der *Courasche*. Der »Glückwünschende Zuruff« von *Dietwald und Amelinde*, der den ersten Hinweis auf sie gibt, ist Anfang März 1669 datiert. Folglich muß Grimmelshausen zu dieser Zeit schon mit der Arbeit befaßt gewesen sein. Daß er damals sogar letzte Hand daran legte, ist nicht ausgeschlossen. Angesichts dieser frühen Niederschrift bedarf der eingangs genannte Erscheinungstermin, 1670, der Rechtfertigung, zumal die *Courasche* keine Jahresangabe trägt: Noch im Frankfurter und Leipziger Ostermeßkatalog 1670 kündigt der Nürnberger Verleger die Schrift lediglich an; und eine Genfer Buchhändleranzeige, auf die sich Koschlig stützt, bestimmt als *terminus ad quem* für die Veröffentlichung die Frankfurter Herbstmesse 1670.

Was aber hatte die Herausgabe des *Trutz Simplex* so lange verzögert? Wie bei dem analogen Fall von Grimmelshausens *Ewig-währendem Calender* sind wir auch hier auf Mutmaßungen angewiesen. Koschlig denkt bei der *Courasche* an die Beanspruchung Felßeckers durch den Kampf gegen den nicht-autorisierten *Simplicissimus*-Nachdruck des Frankfurter Verlegers Georg Müller (1669). Im Jahr darauf zeigt der Nürnberger in den Ostermeßkatalogen zwar *Dietwald und Amelinde* an, verspricht jedoch, wie gesagt, nur die offenbar längst abgeschlossene *Courasche.* Die Vorwegnahme des Idealromans vor dem simplicianischen mag einmal der Intention des Autors entstammen, sich dem Lesepublikum des höfischen Genres als Verfasser auch des erfolgreichen *Simplicissimus Teutsch* und rechtzeitig als der des ausstehenden *Trutz Simplex* zu empfehlen; zum anderen aber dem kommerziellen Interesse seines Geschäftspartners: Felßecker könnte die neue Simpliciade zurückgehalten haben, um den Absatz seiner *Simplicissimus*-Ausgaben nicht zu schmälern. Hat er tatsächlich so gedacht, so dürfen wir ihm ein sicheres Urteil bescheinigen, wurde doch später auch das schmale Pendant zu dem ersten simplicianischen Roman ein großer Erfolg. Wie sonst hätte sich der Konkurrent Müller zu einem neuerlichen Raubdruck, eben der *Courasche*, bewegen lassen?

Diese unberechtigte Frankfurter Edition – deren sprachliche Überarbeitung analog der des nichtlizenzierten *Simplicissimus* den Regeln des Grammatikers Gueintz folgte – schiebt sich, wie man heute weiß, zwischen die beiden echten *Courasche*-Ausgaben zu Grimmelshausens Lebzeiten. Alle drei Drucke sind ohne Jahreszahl. Die erwähnten Ausstellungskataloge geben keinen Aufschluß über die Datierung. Wollte Georg Müller Felßeckers *Courasche* verdrängen, so mußte er bis zur Herbstmesse 1671, also innerhalb Jahresfrist, nachgezogen haben. Für die sprachliche Neufassung und technische Produktion des umfangreichen *Simplicissimus* samt seiner *Continuatio* hatte er nicht viel mehr als ein Jahr gebraucht. Doch bis Ostern 1671 bereits wird er seinen zweiten Nachdruck kaum auf den Markt haben bringen können. Anders als in der früheren Affäre reagierten Grimmelshausen und Felßecker aus ungeklärtem Grunde auf die erneute Provokation nicht. Ihre zweite Auflage, die laut Koschlig »erst längere Zeit nach dem verhältnismäßig spät anzusetzenden Bekanntwerden des Nachdrucks herausgekommen ist«, erstellten sie auf der Grundlage der Erstveröffentlichung.

Formal und inhaltlich gehört der *Trutz Simplex* wie der *Simplicissimus Teutsch* zunächst in die Tradition des Schelmenromans, der paradoxerweise im Spanien des 16. Jahrhunderts, des Goldenen Zeitalters des mächtigen Imperiums, aufgekommen war und mit *Lazarillo de Tormes* (1554), dem Prototyp der Gattung, und *Guzmán de Alfarache* (1599) seine Gipfelleistungen hervorgebracht hatte. Die Anti-Helden dort waren arme, hungernde Teufel niedrigster Abkunft, die sich trotz aller Gewitztheit nur schlecht und recht durchs Leben schlugen. Den Umkreis ihrer unsteten Lebensweise dehnten sie, im Laufe der literarischen Entwicklung, von Kastilien über die ganze iberische Halbinsel bis auf diejenigen europäischen Länder aus, die Kriegsschauplätze spanischer Heere gewesen waren. Im harten Existenzkampf, den sie im großen und ganzen heiter zu nehmen wußten, griffen sie zu Betrug und List, zu Diebstahl und Gaunerei, da die Ungunst der Umstände, aber auch ihre eigene Faulheit ihnen keine Wahl ließen. Ihre Dienstverhältnisse konnten daher nur von kurzer Dauer sein – was dem Autor immer wieder die Möglichkeit verschaffte, die Handlung voranzutreiben. Der Leser kann dem Picaro seine Sympathie nie ganz versagen, wenn sich auch mit Ausprägung der Romanform allmählich eine Wandlung vom Verschmitzt-Harmlosen zum Durchtrieben-Bösartigen, eine gewisse Tendenz zur Verrohung abzeichnet. Hand in Hand damit wird die Satire an den einzelnen Vertretern von Gesellschaft und Kirche immer bissiger. Erzähltechnisch bedeutet dieser abwechslungsreiche Stationenweg die mehr oder weniger lockere Aneinanderfügung von abenteuerlichen oder burlesken Episoden, die ab und an, zuweilen in störendem Ausmaß, von moralisierenden Einschüben unterbrochen werden. Die Einzelszenen des im Ich-Stil erzählten Geschehens sind in sich abgeschlossen, weitgehend austauschbar und lassen sich nahezu beliebig vermehren. Allein der Anfang ist fixiert, da er meist die Abstammung des Schelmen enthüllt. Die Nebengestalten, welche noch weniger als die Zentralfigur über das Typenhafte hinausgelangen, sind überwiegend bloße Vehikel der Erzählung und haben meist, vor allem im frühen Stadium der Gattungsgeschichte, nach kurzer Zeit ihre Schuldigkeit getan.

Es konnte nicht ausbleiben, daß sich auch ein weiblicher Gauner unter die picarische Zunft mischte. 1605 erschien unter dem Pseudonym Francisco Lopez de Ubeda die *Pícara Iustina* des Dominikaners Andreas Perez, die schon 1620, nachdem der Schelmenroman Deutschland erobert hatte, als die *Landstörtzerin Iustina Dietzin Picara genandt* in anonymer Übersetzung verfügbar war. Dieses Buch, allerdings auf einer italienischen Vorlage von Barezzo Barezzi (1615) fußend, muß einen der Ansatzpunkte für Grimmelshausen geliefert haben. Die Ähnlichkeit der Titel und vor allem die Gesamtkonzeption sprechen dafür. Auch der Romaneingang, in dem sich die altgewordene Vagantin vorstellt, erinnert beim deutschen Dichter noch an die *Dietzin* – er offenbart jedoch zugleich schon die unterschiedliche künstlerische Potenz der Werke und ist symptomatisch für die dichterische Art, mit der Grimmelshausen allgemein seine jeweiligen Muster übertrifft. Während die Picara, die sich weitaus trübseliger als die Courasche gibt, in weinerliches Lamento verfällt, setzt die ungebrochene Erzbetrügerin, »die ihr einbildet, die Seele seie ihr gleichsam angewachsen«, zu einer trotzigen »Haupt- und Generalbeicht« an, welche mit Reue und Bußfertigkeit wenig zu tun hat. Am allerwenigsten, gemessen am *Simplicissimus*, will sie moralisch warnen; das möchte der Dichter. Rache an Simplex, dem sie ihre Autobiographie ausschließlich zueignet, ist ihr eigentliches Motiv. Im Gegensatz zu der hinfällig erscheinenden, wehleidigen Dietzin ist sie, voll ungebeugten Lebenswillens, noch immer das unverwüstliche Mannweib, das seit seiner ersten, erzwungenen Verkleidung Hosen getragen hat. Ohne Zweifel gehört der Beginn des Werkes zu den besten in der deutschen Literatur.

Wie sich der Autor bei aller Anlehnung an den Picaro-Roman im *Trutz Simplex* vom Schema löst, manifestiert sich weiterhin an seiner individuellen Behandlung des alten Abstammungsmotivs. Der klassische Picaro tritt nicht selten als Waise in die Erzählung ein, oft ist man bei ihm im unklaren über seine wirkliche Herkunft. Selbst im *Simplicissi-*

mus herrscht hier ein Dunkel, das erst nach vielen Andeutungen aufgehellt wird. Wie den Hauptroman gestaltet Grimmelshausen auch das kleinere Buch über eine längere Strecke zu einem Werk der Elternsuche. Nur macht er in der *Courasche* lediglich den Vater zum Edelmann, sogar zum Grafen – im *Simplicissimus* sind beide Eltern des Helden adlig –, während er mit dem Motiv der unehelichen Geburt das Picarische stärker beibehält. Gleichfalls abweichend vom spanischen Schelmenroman, dessen angestammter Lebensraum der Friede ist, und wieder fast in Übereinstimmung mit seiner ›Autobiographie‹, siedelt der Dichter das neue Geschehen im Bereich des Krieges an.

Auch die Sprache – um nur dies noch anzudeuten – hebt die Simpliciade aus den mannigfachen Varianten, Nachbildungen und Übersetzungen des Schelmenromans heraus. Der Stil ist kräftig, prall und wirklichkeitsgesättigt. Er ist nahezu der des großen Romans, unverblümt und derb, satirisch-humoristisch, doch auch stellenweise von beinahe lyrischer Tönung. Man lese das 15. Kapitel mit der scheuen Liebeswerbung des Musketiers und späteren Springinsfeld sowie der berechnenden Reaktion der Courasche in Wort und Tat. Im ganzen Buch hält der Autor den Sprechton einer vom Krieg gezeichneten Frau durch, die illusionslos am Ende ihres Lebens steht und kein Blatt mehr vor den Mund nimmt. Schonungslos gegen sich und andere, macht die Landstörzerin vor keiner Selbstentblößung halt, wobei sich ihr Racheimpuls zur Wahrheitsbesessenheit emanzipiert. So findet sich am Ende des Buches nicht ihre Begegnung mit Simplex, auf die alles hinzielt, sondern darüber hinaus die Einmündung des Berichts in die Erzählsituation. In der Sprache ersteht nicht nur die Charakteristik eines Menschenlebens, die literarisch Vorgeprägtes fast aufhebt, sondern auch ein eindringliches Panorama des Dreißigjährigen Krieges. Das Erzählen vermeidet, um es zu wiederholen, übermäßiges Moralisieren und läßt dennoch Grimmelshausens sittliches Engagement hervortreten: »Der Einfall, die entehrende Anschuldigung (des Simplicius) dadurch zu rächen,

daß man seine ganze Verworfenheit ohne jede Scham öffentlich darlegt, ist besonders geeignet, irdische Blindheit und Verbohrtheit gegenüber den wesentlichen Dingen des menschlichen Daseins anschaulich darzustellen.« (Streller)
Mit allen diesen Komponenten tritt die *Courasche* dem *Simplicissimus* ergänzend zur Seite, indem sie die Perspektive der Frau eröffnet, die, wie ihr Widersacher, schuldlos als Kind in die militärische Auseinandersetzung hineingezogen wird und, nun anders als Simplex, nach anfänglichem Widerstand darin verkommt. Sollte Grimmelshausen hierdurch ein humanes »Anliegen«, um ein Wort seiner Erzählerin zu gebrauchen, verhalten zum Ausdruck bringen? Feldges sieht die *Courasche* nicht als gleichwertiges Gegenstück zum *Simplicissimus*. Für ihn besteht ihr Funktionswert darin, als Vergleichsbeispiel eine Folie für den männlichen Helden abzugeben, auf der er sich um so deutlicher abhebe. »Sie ist vornehmlich auf eine Charakterisierung des Mannes hin konzipiert« (Feldges), der – so ausdrücklich die Schlußbemerkung des VII. Buches – moralisch nicht besser sei als die konventionell negativ gesehene Frau. Diese Auffassung scheint sich trotz unterschiedlicher Akzentuierung mit anderen Interpretationen im Hinblick auf Grimmelshausens ethische Absichten vereinbaren zu lassen, auch wenn man Feldges' spezielle tropologische Deutung des *Trutz Simplex*, auf die noch einzugehen ist, beachtet. Streller hat darauf hingewiesen, daß sich in der Gestaltung durch den Dichter, ihm vermutlich unbewußt, trotz ihrer Abhängigkeit vom Frauenbild der Epoche die Schuld des Mannes am sittlichen Untergang der Frau zumindest andeutet. Und in neueren Studien von Jacobson wird die fast ausschließlich negative Beurteilung des ›Charakters‹ Courasche mit gewichtigen Argumenten in Frage gestellt. Diese Frau sei, wie Jacobson betont, nicht das schlechthin böse Weib, weder zur Hure noch zur Teufelin prädestiniert, sondern sie erscheine in dieser Männerwelt des Krieges vollkommen als das, was Männer aus ihr machen. Sie werde verführt, um die Ehe betrogen, auf Abwege gelockt, in ganz willkürlicher und

gewissenloser Art brutaler Gewalt ausgesetzt. Sie werde so behandelt, daß sie dann selbst auch entsprechend handeln wolle. Aber in ihren guten Ehen sei sie dem treu, der ihr die Treue halte.

Nicht nur dem Picaro-Roman und seiner eigenen vorausgehenden ›Autobiographie‹ ist Grimmelshausens VII. Buch verpflichtet. Sein *Trutz Simplex* spielt fiktiv auf einem historischen Hintergrund, für den Eberhard von Wassenbergs zeitgenössisches Geschichtswerk, der *Ernewerte Teutsche Florus*, das Material lieferte, und zwar mit einem bis 1647 fortgeführten Text. Hinzu kam das voluminöse Kompendium des *Theatrum Europaeum*, das, ab 1635 ediert, Ereignisse seit dem Jahre 1617 verzeichnet. Einzelepisoden verdankte der Romanschreiber noch anderen Vorlagen, vor allem dem sogenannten *Pseudo-Moscherosch* von 1648 und Garzonis *Piazza Vniversale* in der deutschen Übertragung von 1619. Diesen *Allgemeinen Schauwplatz* Garzonis hat Grimmelshausen freilich diesmal nicht so intensiv benutzt wie für die Frühwerke und noch den *Simplicissimus*. Als wichtiger Gewährsmann verdient außerdem Georg Philipp Harsdörffer Erwähnung, von dessen *Heraclitus und Democritus* (1653) nach neueren Untersuchungen wohl die entscheidende Anregung für den Einsatz der eigentlichen *Courasche*-Handlung ausging. Die fragliche Geschichte heißt dort »Die keusche Hinterlist« und basiert auf einer französischen Vorlage, die ihrerseits eine Anekdote des deutschen Kriegs verarbeitet. Wieder einmal mündet europäisches Erzählgut der Renaissance und des Frühbarocks in Grimmelshausens Werk ein. Auch das Motiv der Prügelei um die Hosen (Kap. 7), ein weitverbreitetes Schwankmotiv, dürfte aus Harsdörffer stammen: Als »Das eheliche Fegfeuer« findet es sich in seinem *Großen Schau-Platz Lust- und Lehrreicher Geschichte* (1649–51). Der Stoff für die zur Ermahnung der »Kerl« benutzte novellistische Begebenheit (Kap. 4) läßt sich außer bei Harsdörffer, der sie von Bandello übernimmt, bei Erasmus Francisci feststellen. Sich auf *eine* Quelle festzulegen ist hierbei schwierig, da der

Bearbeiter die in allen drei Fällen ähnlich ausgeführte Erzählung zu nur *einem* langen Satz komprimiert. Dieses Verfahren vertritt insofern Grimmelshausens Arbeitsweise generell, als er sich mit zunehmender Könnerschaft von seinen Mustern freimacht und sie nach Gutdünken modifiziert. Immer wieder versteht er es geschickt, entlehntes Material seinen jeweiligen gestalterischen Absichten anzupassen.

Mehrmals ist kurz von der Rache der Landstörzerin an Simplex die Rede gewesen. Dieses Motiv, von dem die Simpliciade der Fiktion nach ihre Entstehung ableitet, schlägt sich zwar nicht unmittelbar im Titelkupfer, doch in seiner »Erklärung« nieder. Sie nimmt den programmatischen Titel *Trutz Simplex* auf. Was steckt hinter dieser besonderen Idee? Die Frage kann ohne Berücksichtigung der inhaltlichen Verknüpfung zwischen *Courasche* und *Simplicissimus* nicht beantwortet werden: Simplicius, dessen Bekehrung in Einsiedeln sich als wenig nachhaltig herausgestellt hatte, widmete sich im Sauerbrunnen Grießbach einer Dame, die seines eigenen Erachtens »doch mehr mobilis als nobilis« war. »(...) derselben Mannsfallen wartet ich trefflich auff den Dienst / weil sie zimlich glatthärig zu seyn schiene / erhielte auch in kurtzer Zeit nicht allein einen freyen Zutritt / sondern auch alle Vergnügung / die ich hätte wünschen und begehren mögen / aber ich hatte gleich ein Abscheuen ob ihrer Leichtfertigkeit / trachtet derhalben / wie ich ihrer wieder mit Manier loß werden könte / dann wie mich dünckte / so gieng sie mehr darauff umb / meinen Seckel zu scheren / als mich zur Ehe zu bekommen / zu dem übertrieb sie mich mit liebreitzenden feurigen Blicken und andern Bezeugungen ihrer brennenden Affection, wo ich gieng und stunde / daß ich mich beydes vor mich und sie schämen mußte« (*Simplicissimus Teutsch*, V, 6). Wie er sich ihrer entledigte und ob es gar »mit Manier« geschah, erfahren wir im *Simplicissimus* nicht. Erst der *Trutz Simplex* erweitert das Schwankmotiv perspektivisch und in wahrhaft simplicianischer Weise. Der Leser erfährt jetzt, daß es sich seinerzeit bei der Dame um die Courasche handelte und daß

Simplicius sie auf nicht gerade feinem, doch wirksamem Wege aus dem Kurort vertrieb (Kap. 24). Sie »bezahlte« ihn, indem sie das neugeborene Kind ihrer Magd ihm als ihr eigenes, angeblich gemeinsam erzeugtes unterschob. Eine zusätzliche Pointe liegt in der Annahme des betrogenen Betrügers, »die Unfruchtbare hätte geboren«. Indessen ist da das letzte Wort noch nicht gesprochen. Simplex' Erwiderung besteht darin, wie wir gehört haben, die galanten Abenteuer der verflossenen Mätresse, die er allerdings nicht namentlich nennt, in seiner Lebensbeschreibung hinauszuposaunen. Seine Feindin, deren Rachsucht wohl auch aus Haßliebe gespeist wird, kontert mit eigentümlicher Dialektik. Zur Verteidigung ihrer Ehre macht sie im *Trutz Simplex* der Öffentlichkeit ihre Schandtaten zugänglich. Somit ist der ehemalige Liebhaber kompromittiert. Doch in unerwarteter Steigerung der Schalkheit, die durch sein mittlerweile abgeklärtes und biedermännisches Auftreten hindurchblitzt, überbietet der alte Simplicissimus diesen Schachzug noch einmal. Gelassen eröffnet er seinen Zuhörern, Springinsfeld und Trommenheim: »Wann ich noch wie hiebevor in dergleichen Thorheiten meine Freud suchte / so würde mirs keine geringe Ergetzung seyn / daß ihr diese Närrin einbildet / sie habe mich hiermit hinders Liecht geführt / da sie mir doch dardurch den allergrösten Dienst gethan / und sich noch mit ihrem eitlen kützlen bis auf diese Stund selbst betreugt; dann damals als ich sie caressirte / lag ich mehr bey ihrer Cammer-Magd als bey ihr selbsten; und wird mir viel lieber seyn / wann mein Simplicius (dessen ich nicht verläugnen kan / weil er mir sowol im Gemüt nachartet / als im Angesicht / und an Leibs-Proportion gleichet) von derselben Cammer-Magd / als einer losen Zigeunerin geboren seyn wird.« Die Courasche hatte angenommen, daß Simplex ihre »Cammer-Magd« »sein Tage niemahls berührte«.
Diesen Höhepunkt hat sich Grimmelshausen für den nächsten Roman, den *Springinsfeld* (Kap. 5), aufgespart, mit dem die *Courasche* nach vorn verbunden ist. Der Autor bedient sich zu solchem Zweck des Kunstgriffs, nicht nur den

Titelhelden, sondern auch Trommenheim noch einmal auftreten zu lassen. Dieser fiktive Schreiber beider Werke weiht bei dem Zusammentreffen Simplicius in das Entstehen des *Trutz Simplex* ein und bietet ihm so Gelegenheit, den höchsten Trumpf auszuspielen. Hatte im *Trutz Simplex* das Nachholen des Sauerbrunnen-Streichs eine latente Spannung im Leser des *Simplicissimus* gelöst, so kam dem Nachtrag im *Springinsfeld* (Kap. 4–6) eine andere ästhetische Funktion zu: Da diese simplicianische Schrift zweiteilig konzipiert ist, ließ sich in ihr einigermaßen organisch das interpolieren, was die einheitliche Anlage der *Courasche* gesprengt hätte.

Grimmelshausens Konzeption, die zehn simplicianischen Bücher miteinander zu verbinden, beschränkt sich aber nicht auf diese personelle und pragmatische Verknüpfung. Die beiden Teile des *Wunderbarlichen Vogel-Nests* wären dann zudem nur sehr locker mit dem Rest verzahnt. Der Dichter reiht vielmehr die Bücher so aneinander, daß sie als *Zyklus* erscheinen. In diesem figuriert die *Courasche* als siebtes Buch: »Sonsten wäre dieses«, heißt es in der Vorrede zum *Wunderbarlichen Vogel-Nest* (II), »billig das zehende Teil oder Buch des abenteuerlichen Simplicissimi Lebensbeschreibung, wann nämlich die Courasche vor das siebende, der Springinsfeld vor das achte und das erste Part des wunderbarlichen Vogelnests vor das neunte Buch genommen würde, sintemal alles von diesen Simplicianischen Schriften aneinanderhängt und weder der ganze Simplicissimus, noch eines aus den obengemeldeten Traktätlein allein ohne solche Zusammenfügung genugsamb verstanden werden mag«.

So der Autor 1675. Worauf aber bezieht sich diese gewichtige und vieldiskutierte Aussage? Sicher also nicht nur auf die Verklammerung der Reihe durch Haupt- und Nebenfiguren, denn einige von ihnen treten obendrein auch außerhalb der Zehn-Bücher-Gruppe auf. Streller hat einen Lösungsversuch unterbreitet, der auf der Ermittlung bestimmter Gliederungseinheiten und Zahlenverhältnisse in der Gesamtstruktur beruht. Diese Relationen sollen sich auch in den Einzelwerken wie dem *Trutz Simplex* finden. Streller geht davon aus, Grimmelshausens Kompositionsprinzip sei es gewesen, »genau in der Mitte einer größeren Gestaltungseinheit durch Direktaussage, Allegorie oder Sinnbildhandlung seine Aussageabsicht kundzutun und darum herum – in der Regel symmetrisch – den größeren Bau zusammenzusetzen.« Auch die *Courasche* habe ein solches Kernstück, und zwar den raffinierten »Ehevertrag« mit dem verliebten Soldaten (Kap. 15), der dann kraft dieser ziemlich einseitigen »Conditiones« den Namen Springinsfeld erhält. Jedoch bleibt offen, wieso Streller diesem Kontrakt mehr Bedeutung zuschreibt als zum Beispiel dem, den die Courasche mit ihrem zweiten Hauptmann schließt (Kap. 10). Auch diese »Heuratspuncte« haben ihre Aufgabe im erzählerischen Nexus (vgl. Kap. 23), obgleich sie sich im simplicianischen Sinne nicht als so ergiebig erweisen wie die Abmachungen mit dem späteren Partner Springinsfeld. Jedenfalls markiere, so Streller, diese Passage die Mitte im Lebensgang der Erzbetrügerin; es ergäben sich Hälften mit klarer Untergliederung. In der ersten werde die junge Frau aus Schwäche in das korrumpierende Welttreiben gezogen, in der zweiten lebe sie ganz ihrer Rache am männlichen Geschlecht. Diesem Verhältnis seien nun korrespondierende Kapitel in beiden epischen Partien angemessen, deren Gesamtanordnung auf eine symmetrische Tektonik hinauslaufe. Doch läßt diese These, wie auch die umfassendere der zahlensymbolischen und zahlenkompositorischen Gliederung des ganzen Zyklus, einige Fakten und Gesichtspunkte außer acht. Wenn Grimmelshausen z. B. das Sprichwort »Gleich und gleich gesellt sich gern« im ersten, zehnten und vierundzwanzigsten Kapitel einfließen läßt, so fügt sich diese Disposition nicht einer Zuordnung zur Mittelachse, die im übrigen bei einer Summe von achtundzwanzig strikterweise zwei Kapitel zu umfassen hätte. Zudem können die häufigen, oft sehr subtilen, Vor- und Rückverweise schwerlich immer auf die Hälften des Werkes verteilt werden – abgesehen davon, daß diese keineswegs in sich homogen sind:

Spricht Streller etwa zur Kennzeichnung des ersten Halbteils von der Courasche als einem Opfer des Krieges, in den sie wider Willen gerate, so übersieht er ihre bereits anfangs vorhandene Neigung zur militärischen Atmosphäre (Kap. 2) und den Faktor, daß sie mehrmals die Gelegenheit zur Rückkehr in den Frieden ausschlägt oder nur halbherzig wahrnimmt. Ohne daß diese interpretierende Methode ihren grundsätzlichen Wert verlöre, sind noch andere zur Erfassung der Art des Zyklus und in ihm der *Courasche* denk- und anwendbar.

So legt neuerdings Feldges die *Courasche* nach dem aus dem Mittelalter in die Barockzeit überlieferten System des mehrfachen Schriftsinns aus und gelangt zu dem Ergebnis, sie sei in vier Sinnschichten aufgebaut: Auf der Ebene des buchstäblichen Verständnisses oder Wortsinnes (»sensus literalis«) bedeute die Heldin die typische Frau zur Zeit des Dreißigjährigen Krieges; auf der allegorischen Stufe sei sie die Verkörperung der Frau Welt; der dritte, moralische Sinn lehre den Leser, sich vor der Welt und dem Weib zu hüten; und die anagogische, auf die letzten Dinge gerichtete Signifikanz des Werkes schließlich führe die Titelfigur als eschatologische Gestalt, als die Hure Babylon oder den Antichrist, vor. Hieraus wird klar, daß die *Courasche*, wie angedeutet, höchstens vordergründig noch als Schelmenroman klassifiziert werden kann.

Wie nun Feldges' These besonders auf dem Gebiet der Zahlensymbolik einige von Strellers Resultaten stützt und ergänzt, so läßt sich seine allegorisierende Exegese noch differenzieren. Im *Trutz Simplex* liegt eine Abfolge von in sich mehr oder weniger selbständigen Erzählphasen vor, die *entgegen* der Angabe auf dem Titelblatt nicht konsequent negativ verläuft. Es genüge hier der Hinweis, daß Lebuschka – dies ist ja der eigentliche Name der Landstörzerin – intervallartig dreimal, zuletzt im 23. Kapitel, Hauptleute heiratet, also eine relativ gehobene soziale Position erreicht. Und ihr gesellschaftlicher Abstieg gegen Ende sollte über ihre hohe Stellung unter den Zigeunern nicht hinwegtäuschen. Nachdem sie mehrmals gegen eine Existenz als »Musketiererin« Bedenken erhoben hat, gefällt ihr jetzt das Zigeunerleben (!) so sehr, daß sie »es auch mit keiner Obristin vertauscht haben wollte«. Eingedenk dieser rhythmischen Aufeinanderfolge verschiedenartiger Seinsweisen der Courasche scheint die Vermutung nicht abwegig, der *Trutz Simplex* sei ebenso astrologisch, d. h. nach planetenbedingten Abschnitten gestaltet wie auch der *Simplicissimus Teutsch*: Es ist bei der Untersuchung des fünfbuchigen Romans von der Tatsache ausgegangen worden, daß der Dichter auch Kalenderschriftsteller und als solcher mit den astrologischen Anschauungen seiner Zeit voll vertraut war. Im Vergleich eben mit Grimmelshausens *Ewig-währendem Calender* wurde im *Simplicissimus* eine Sequenz der sieben klassischen Planeten sichtbar, die – bei einer bedeutsamen Umstellung – der chaldäischen Reihe entspricht: Saturn, Mars (statt Jupiter), Sonne, Jupiter, Venus, Merkur, Mond. Demgemäß durchläuft der Held Simplicius eine bestimmte Typenfolge, die sich jeweils unter dem Einfluß eines dieser Planeten konstituiert (vgl. *Nachahmung und Schöpfung im Barock*, VII). Auf diese Weise ist das Werk, um nur die künstlerische Quintessenz zu erwähnen, dem barocken Lebensgefühl entsprechend in die Polarität zwischen saturnischer Beständigkeit und lunarer Veränderlichkeit eingespannt. Eine Variante dieses Bauschemas nun dürfte, wie die Studien Haberkamms gezeigt haben, auch der *Courasche* zugrunde liegen, worauf nach seiner Auffassung bereits die Akzentuierung der Siebenzahl schließen läßt. Zwei Beispiele: sieben mal vier beträgt die Zahl der Kapitel des Buches; nicht weniger als sieben Ehemänner werden der vitalen Erzbetrügerin angetraut. Diese Häufung darf als Wink des Autors verstanden werden, der im *Simplicissimus* ebenfalls bestimmte numerische Beziehungen zu den Sternen, denen nach astrologischem Glauben auch die Zahlen unterstehen, herstellt. Es liegen demnach auch in der *Courasche* sieben Phasen vor, welche als horizontale Teilabschnitte einer Sinnschicht vorzustellen sind, die mit einem historischen Terminus als »sensus astrologicus« bezeichnet werden kann. Dieser »sensus astrologicus« – und hier knüpft Haberkamm an Feldges an, der mit der astrologischen Bedeutung mancher Zahlen im *Trutz Simplex* seine Resultate untermauert – ist neben den genannten konventionellen Schriftsinnen anzusetzen und als *eine* Sinnschicht im Bereich des »sensus allegoricus« im weiteren Sinne, wie ihn beispielsweise Dante gegen den »sensus literalis« abgrenzt, zu begreifen. Mit solchen Modifikationen des Schriftsinn-Systems ist zumal in der Epoche des Barocks zu rechnen, die sogar – etwa bei Athanasius Kircher – Schichtungen von acht Sinnebenen hervorbringt. – Freilich ist die Phasenfolge der *Courasche* gegenüber der des *Simplicissimus* bezeichnenderweise geändert. Unbeschadet des ersten, saturnisch signifikanten Kapitels (hohes Alter, niedriger sozialer Status, Geiz, Neid, Trägheit, Melancholie etc.), das erzählchronologisch an den Schluß des Werkes gehört, beginnt nach Haberkamms These die Lebensgeschichte der Heldin mit einer Jupiter-Phase, um mit einer Saturn-Phase zu enden. Dazwischen läuft das chaldäische System regelmäßig ab, also nach dem Plan: (Jupiter-), Mars-, Sonnen-, Venus-, Merkur-, Mond- (und Saturn-) Phase. Abgesehen von der zyklischen Verklammerung mit dem *Simplicissimus* durch diese Variation, nimmt damit im VII. Buch die Sterngöttin Venus die zentrale Position ein, wie es Jupiter aus biographischen, astrologischen und strukturellen Gründen im *Simplicissimus Teutsch* tut. Auf diese Weise sind die beiden in mancherlei Hinsicht korrespondierenden Romane einmal mehr einander zugeordnet, weil Jupiter und Venus in der Astrologie als die beiden wesensähnlichen Glücksplaneten, die große und die kleine Fortuna, gelten. Wichtiger noch ist, daß Grimmelshausen mit der skizzierten Verteilung der Planetenphasen im *Trutz Simplex* offensichtlich sinnbildlich verfährt, hat sich doch die Courasche, die mehrmals als Göttin und insbesondere als Venus apostrophiert wird, ihr Leben lang der Liebe verschrieben.

Günther Weydt

Inhalt

Barockliteratur

IN RECLAMS UNIVERSAL-BIBLIOTHEK (AUSWAHL)

Abraham a Sancta Clara: *Wunderlicher Traum von einem großen Narrennest.* Hrsg. v. Alois Haas. 6399

Angelus Silesius: *Aus dem Cherubinischen Wandersmann und anderen geistlichen Dichtungen.* Auswahl Erich Haring. 7623 – *Cherubinischer Wandersmann.* Kritische Ausgabe. Hrsg. v. Louise Gnädinger. 8006 [5] (auch geb.)

Johann Beer: *Printz Adimantus und der Königlichen Princeßin Ormizella Liebes-Geschicht.* Hrsg. v. Hans Pörnbacher. 8757

Jakob Bidermann: *Cenodoxus.* Deutsche Übersetzung v. Joachim Meichel (1635). Hrsg. v. Rolf Tarot. 8958 [2]

Simon Dach und der Königsberger Dichterkreis. Hrsg. v. Alfred Kelletat. 8281 [5]

Gedichte des Barock. Hrsg. v. Ulrich Maché u. Volker Meid. 9975 [5]

Gedichte und Interpretationen. Bd. 1: Renaissance und Barock. Hrsg. v. Volker Meid. 7890 [5]

Hans Jacob Christoph von Grimmelshausen: *Der abenteuerliche Simplicissimus Teutsch.* Einleitung v. Volker Meid. 761 [8] – *Lebensbeschreibung der Erzbetrügerin und Landstörzerin Courasche.* Hrsg. v. Klaus Haberkamm u. Günther Weydt. 7998 [2] – *Der seltzame Springinsfeld.* Hrsg. v. Klaus Haberkamm. 9814 [3]

Andreas Gryphius: *Absurda Comica oder Herr Peter Squenz.* Schimpfspiel. Hrsg. v. Herbert Cysarz. 917. Kritische Ausgabe: Hrsg. v. Gerhard Dünnhaupt u. Karl-Heinz Habersetzer. 7982 – *Cardenio und Celinde Oder Unglücklich Verliebete.* Trauerspiel. Hrsg. v. Rolf Tarot. 8532 – *Carolus Stuardus.* Trauerspiel. Hrsg. v. Hans Wagener. 9366 [2] – *Catharina von Georgien.* Trauerspiel. Hrsg. v. A. M. Maas. 9751 [2] – *Gedichte.* Auswahl Adalbert Elschenbroich. 8799 [2] – *Großmütiger Rechtsgelehrter oder Sterbender Aemilius Paulus Papinianus.* Trauerspiel. Text der Erstausgabe, besorgt v. Ilse-Marie Barth. Nachwort Werner Keller. 8935 [2] – *Horribilicribrifax Teutsch.* Scherzspiel. Hrsg. v. Gerhard Dünnhaupt. 688 [2] – *Leo Armenius.* Trauerspiel. Hrsg. v. Peter Rusterholz. 7960 [2] – *Verliebtes Gespenst.* Gesangspiel. *Die geliebte Dornrose.* Scherzspiel. Hrsg. v. Eberhard Mannack. 6486 [2]

Johann Christian Günther: *Gedichte*. Auswahl u. Nachwort Manfred Windfuhr. 1295

Johann Christian Hallmann: *Mariamne*. Trauerspiel. Hrsg. v. Gerhard Spellerberg. 9437[3]

Christian Hofmann von Hofmannswaldau: *Gedichte*. Auswahl u. Nachwort v. Manfred Windfuhr. 8889[2]

Quirinus Kuhlmann: *Der Kühlpsalter*. 1.–15. und 73.–93. Psalm. Im Anhang: Photomechanischer Nachdruck des »Quinarius« (1680). Hrsg. v. Heinz Ludwig Arnold. 9422[2]

Laurentius von Schnüffis: *Gedichte*. Auswahl. Hrsg. v. Urs Herzog. 9382

Friedrich von Logau: *Sinngedichte*. Hrsg. v. Ernst-Peter Wieckenberg. 706[4]

Daniel Casper von Lohenstein: *Cleopatra*. Trauerspiel. Text der Erstfassung von 1661, besorgt v. Ilse-Marie Barth. Nachwort Willi Flemming. 8950[3] – *Sophonisbe*. Trauerspiel. Hrsg. v. Rolf Tarot. 8394[3]

Martin Opitz: *Buch von der Deutschen Poeterey* (1624). Hrsg. v. Cornelius Sommer. 8397[2] – *Gedichte*. Auswahl. Hrsg. v. Jan-Dirk Müller. 361[3] – *Schäfferey von der Nimfen Hercinie*. Hrsg. v. Peter Rusterholz. 8594

Poetik des Barock. Hrsg. v. Marian Szyrocki. 9854[4]

Christian Reuter: *Schelmuffskys warhafftige curiöse und sehr gefährliche Reisebeschreibung zu Wasser und Lande*. Hrsg. v. Ilse-Marie Barth. 4343[3] – *Schlampampe*. Komödien. Hrsg. v. Rolf Tarot. 8712[3]

Spee, Friedrich: *Trvtz-Nachtigal*. Hrsg. v. Theo G. M. van Oorschot. 2596[4]

Kaspar Stieler: *Die geharnschte Venus*. Hrsg. v. Ferdinand van Ingen. 7932[3]

Georg Rodolf Weckherlin: *Gedichte*. Ausgew. u. hrsg. v. Christian Wagenknecht. 9358[4]

Christian Weise: *Masaniello*. Trauerspiel. Hrsg. v. Fritz Martini. 9327[3] – *Ein wunderliches Schau-Spiel vom Niederländischen Bauer*. Hrsg. v. Harald Burger. 8317[2]

Philipp Reclam jun. Stuttgart